本殿に向かう石段の入り口で、チャンパーの花のトンネルに入る

ビエンチャン近郊のモン族の村の正月風景（184 頁）

日本人には懐かしい、機械の入らない田植え風景。半世紀前までの日本は、こうだった。バンビエンの町外れ（99 頁）

ヤオ族のお婆ちゃん。頭に藍染の布をターバン状に巻きつけ、重量感のある朱色の襟巻様の飾りを付けて（226 ～ 227 頁）

雨季、増水したメコン川。右奥は、ラオスの首都ビエンチャン、左奥はタイの田舎町（38 頁）

ルアンパバーンのプーシーの丘の頂から眺め下ろした、世界文化遺産の町（112 頁）

夜、川岸に無造作に繋留されたワット・プー号。暗闇の中、船の甲板だけは、
暖かな灯り（162 頁）

漁村にある高床式住居の村人達と犬。犬も、家族の一員然としている（165 頁）

乾季の間だけ架けられる、竹の橋。映画『ラオス　竜の奇跡』のヒロイン、
ノアも竹橋を渡って、内戦時のラオスにタイム・スリップする（96 頁）

南部アッタプー県のお寺にて

ルアンパバーンのナイト・マーケット（120 頁）

托鉢見物で観光客が押し寄せるルアンパバーンのサッカリン通り、そこから一本横道に入るだけで、地元の住民と托鉢僧だけによる厳粛な時間に出逢う（110 頁）

魚の種類が多く、大型魚も多いチャンパーサックの市場。体長２メートルを越えるメコン大ナマズもいるという（129 頁）

中国
メコン川
景洪
ミャンマー
ムアンシン
ボーテン
ルアンナムター
ハノイ
ビエンプーカー
タム・ティン仏像洞窟
パークベン
ルアンパバーン
チェンラーイ
ラオス
シェンクワーン
チェンマイ
バンビエン
南シナ海
ナムグム湖
ビエンチャン
ノーンカーイ
ターケーク
ウドーンターニー
カイソーン・ポムビハーン
（サワンナケート）
タイ
メコン川
ダナン
ウボン・ラーチャターニー
パークセー
ワット・プー遺跡群
バンコク
コーンパペンの滝
アンコール・ワット遺跡
トンレサップ湖
ベトナム
カンボジア
メコン川
プノンペン
タイ湾
ホーチミン
ラオス全図

ラオス基本データ

・国名＝ラオス人民民主共和国（ラオス人民革命党が、唯一の政党として国家を主導）
・面積＝約二四万平方キロメートル（日本の本州の面積：約二三万平方キロメートル）
・人口＝七一七万人（「世界銀行」二〇一九年）
・首都＝ビエンチャン（国は、一七の県と、首都ビエンチャンから成る）
・民族＝ラーオ族（全人口の過半数）を含む、合計五〇民族（二〇一八年一二月に、新たに一民族が加わった）
・一人当たりＧＤＰ＝二、五三五米ドル（「世界銀行」二〇一九年）
・自然地理＝インドシナ半島で唯一の内陸国。国土の約七割が山岳・高原地帯、約八割が森林地帯で、メコン川が国土を北から南に約一九〇〇キロメートルに渡って流れる。

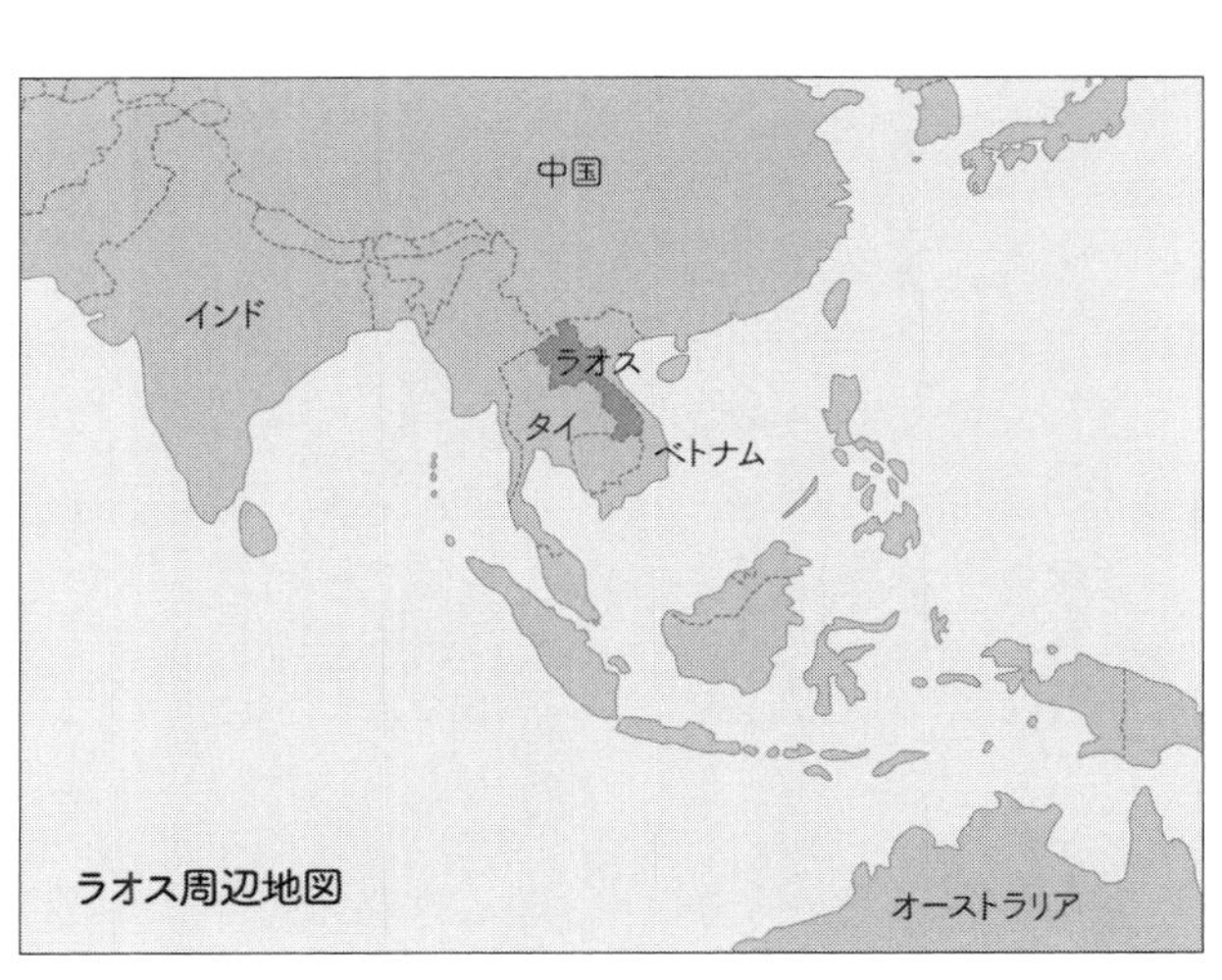

ラオス周辺地図

まえがき◉ポルトガル人が戦国時代の日本にもたらしたラオス

不思議の国のラオスのことを書こうと思います。ことの次第は、次の通りです。

二〇一八年一月に、私はラオスから帰国しました。JICA(国際協力機構)のシニア・ボランティアとして、首都のビエンチャンに丸二年間、滞在していたのです。ラオスの観光の魅力を国外にPRするラオス政府のお手伝いをしていました。

帰国して、久しぶりに司馬遼太郎の『街道をゆく』シリーズを読みはじめたのですが、その中の『南蛮のみちⅡ』を読んでいる時に、なんと、その本の中にラオスについての記述を見つけ出したのです。

司馬遼太郎は、「日本における大航海時代の影響を源流の地で感じたい」という思いを抱いて、一九八二年にスペイン、ポルトガルを旅しました。この本は、その時の紀行文です。私が読んでいたのは、マドリッドからリスボンに向かう「リスボン特急」(二両連結の、国際列車!!)の中で、司馬が、ポルトガル語から転じた様々な日本語、たとえば、ベランダ、ボタン、マント、オルガン、コンペートなどという言葉の現代の日常生活における必要性を語っている力所でした。

「新村博士によると、カンボジャ語ではタバコのパイプのことをkhsier(クセル)という。本来、管(くだ)の意味である。またキセルに用いる細い竹管(たけくだ)は日本産の竹ではなく、カンボジャのとなりのラオス産の黒班竹(くろはんちく)であった。キセルの竹管にかぎって、日本では古くからラオ(羅宇)とよばれてきたし、それを新品と替える呼び売りのしごとの人を『ラオ屋』とか『ラオ替え』と言い、私どもの少年時代、そういう仕事のひとが「らァーおゥ」と物憂い売り声をあげていた。（中略）ともかく、私どもの日常文化のなかに、大航海時代の名残りが、なおも息づいている。」（『街道をゆく　南蛮のみちⅡ』朝日新聞社）

ここに出てくる竹の管でできたキセルを、みなさんはご存知ですか？　私は団塊世代に属しますが、私の祖父（一八九四〜一九八六年）の時代までは、竹管のキセルは、日本人の生活の中に生きていました。私も、子どもの頃に、キセルを使って煙草を吸っている人を見たことを思い出します。私がまだ小学校の低学年の頃、「髭大工」と呼ばれていた近所の大工さんが、ある時期に我が家の修繕をしてくれたのですが、仕事の合間に、キセルで煙草を吸っていました。「ラオ」という音も、覚えています。ただし、私は司馬遼太郎よりは二回り若いので、キセルのことを「ラオ」と呼んでいたことが自分の子どもの頃の記憶であったか、あるいは、成人してから書いたものの中で読んで覚えたのであったか、判然としません。

それにしても、キセルの「ラオ」が「羅宇」、すなわち、「ラオス」からきていたとは！　ビックリ仰天でした。なお、今、ウェブで、「国名の漢字一覧――漢字辞典」を開いてみたら、ラオスは「羅宇」で載っていました。

私は、『街道をゆく　南蛮のみちⅡ』を、いままでに何度も読んできました。しかし、このカ所に関する記憶は、まったくありませんでした。もしも私がラオス滞在を経験していなかったら、これから先、何度この紀行文を読んでも、このカ所が私の脳味噌を刺激することはなかったことでしょう。私の脳味噌は、まあ、その程度のものなんです。

ところで、ラオスの樹木類といえば、熱帯雨林というイメージが強いですね。しかし、温暖・湿潤を好む竹は、ラオスの平地でも、あるいは山地でも見ることができます。しかも、様々な種類の竹があります。掲載した写真は、二〇一六年一月に私がビエンチャンに到着した時、有名なタラート・サオの建物の前に植えてあった竹です。「植えてあった」と過去形なのは、もう、刈られて現在はなくなってしまったからです。おかげで、タラート・サオの駐車場は広がりました。

ビエンチャンのタラート・サオ・モールの前に植えてあった竹。毎朝、その前で女性たちが野菜や仏花の店開きをしていた

人間が土地を都市化する過程で必ず行うのが、草木の伐採です。そして、因果なことに、都市化が後戻りできない段階まで進むと、ようやく、失ってしまったタマサート（ラオス語で「自然」のこと）を懐かしんだり、悔いたりするんですね。

さて、記録に残る、日本に最初にやって来たポルトガル人は、一五四三年に種子島に漂着して、日本に鉄砲を伝えた人です。その後に続いてやって来たポルトガル人が日本に伝えたものの中に、ラオス産の竹管のキセルがあり、日本人はその「羅宇」を使って、私の祖父の世代までの四〇〇年間、きざみタバコを吸っていたのだと思うと、なんだか心が広々としてきます。

同時に、東京という超人工都市で、半世紀を超える時間を過ごしてきた私は、ビエンチャンという、タマサートがまだ色濃く残る町で過ごした経験を、忘れぬうちに書き残しておきたいという気持ちになりました。私の祖父が現役で働いていた昭和二〇年代までは、東京にも自然と自然を生かした暮らしがかなり残っていたんだと思います。その頃までは、ラオス産の竹で作った「羅宇」も、四〇〇年の時を経ても滅びずに、人を楽しませていたように。

なお、この本で私が書いたのは、私が旅人の目で見て、経験したようなことがらが中心です。たかが二年間とはいえ、私はビエンチャンで生活をしていました。勤務先の役所のラオス人同僚との日々や冠婚葬祭のお付き合い、アパートのインド人大家さんとの毎日の挨拶、ご近所の店やテニス・クラブのラオス人たちとのお付き合い、そして、時には日本人社会とのお付き合いがありました。しかし、私のビエンチャン滞在の主たる目的がラオスの観光振興であったため、旅人の目で見たラオスを書き残してみたい、と考えた次第です。生活者の目でも、ましてや、ラオスの研究者の目でもありません。

むろん、生活者の目といい、旅人の目とはいい、同じ私の目です。私の生活者の目と旅人の目の間に、人工的な国境のような明確な境があるわけではありません。対象となるモノやコト、風景についても、これは旅人用、あれは生活者用などという区別はありません。そうではありますが、私がラオスを書くとしたら、所詮はラオスを通り過ぎてゆく旅人の目で、と言わざるを得ません。

また、旅人の目でとは言いましたが、私がこの本で書きたいのは、ラオスの観光ガイドブックでもありません。私が、旅人の目で見たり経験した、不思議の国のラオスです。どこの国にも、異文化の国からやって来た旅人の目には、不思議に見えることがたくさんあります。ラオスにも、それがいっぱいありました。私は、そんな不思議に出会うたびに、そういう不思議の中に生きているラオス人を思い、その人々が積み重ねてきた歴史を思いました。すると、自ずと、ラオス人に対する敬意が湧いてくるのでした。

ラオスから帰国して早々に、日本ではめったに出会うことのないラオスに、私が愛読する『街道をゆく』の中で出会えたことは奇縁だと思って、この文章を書こうと思いました。

なお初出は、私が二〇一七年一月から始め、帰国後も書き続けた、ラオスの観光魅力を広報するためのフェイスブック、「Laos, Simply Beautiful-J」に投稿した文章です。ただし今回、本書を書くに際して、全面的に書き直しをしました。

もくじ＊不思議の国のラオス

まえがき◉ポルトガル人が戦国時代の日本にもたらしたラオス　10

第一章　社会主義国の王様たち

愉快な社会主義の国、ラオス　20／ファーグム王の並木道と、王様たちの銅像　23
セーターティラート王の〝銀座通り〟　29／サームセンタイ王の〝日常通り〟　32
ラーンサーン王国の〝シャンゼリゼ〟　33／ドーン・チャン通りに陽は落ちて　38
コラム＊ラオスの国旗とスーパームーン　40

第二章　ビエンチャン——可愛い首都を歩き回る

満月の夜と、黄金のタート・ルアン大仏塔　42
そこまでやるか！　ワット・シームアン寺院　45
静かなり、ワット・シーサケット寺院　48
コラム＊そこのけ、そこのけ、モンクが通る　50

精霊は、樹木に宿る　51／勝手にパワースポット、タート・ダム（黒の仏塔）　55
ビエンチャン、朝の南無阿弥陀仏　57／コラム＊怒涛の水かけ祭り　63
ラオスには、トゥクトゥクがよく似合う　64
やすらぎのラオス繊維博物館　67／ビエンチャンの、夢は夜開く　69
コラム＊日本でサマー・タイム、なんのこっちゃ？　73

第三章　何でこうなるの？ ビエンチャン郊外

クラクションが聞えない町　78／管理不在の国境の橋　80
奇妙なり、ブッダ・パーク　84／百万頭のゾウの王国の一頭のゾウ　86
コラム＊ラオスより贈られしという四頭の仔象愛しも京都に育つ　89

第四章　首都ビエンチャンからビエンチャン県へ

海のないラオスの製塩工場　92
川の流れのように　95／山紫水明の地、バンビエン　98

第五章　世界文化遺産・ルアンパバーンの街並を歩く

ラオスにはいったい何があるというのか　102
人々の日々の営みを壊すのは、誰か？　105
町を歩き回る　111／メコン川を遡る　115
あら楽し身の丈ほどの夜の市　118
コラム＊日本人にだけ通じるユーモア？　121

第六章　旅行ガイドを閉じて、市場へ行こう

各国に、その国なりの市が立つ　124
ビエンチャン市民の〝胃袋〟、タラート・クワディン　125
南部で見つけた豊かなアジア、タラート・ダーオファァン　129
山には山の市がたつ　130
コラム＊市場が天秤棒を担いでやって来る　133

第七章　メコンはラオスの母なる川

椎名誠のメコン川　138／上流域――森と山と人々　141
中流域――首都を流れる国際河川　146
下流域――ワット・プー号でゆくメコン・クルーズ　150
コラム＊パークセー三山の恋の物語　177

第八章　ラオスを豊かにする民族の多様性

高度で住み分けるラオスの民族　180／忘れ得ぬ山の民、モン族の新年の祭りなど　182
ラオスのマス・ツーリズムとエコ・ツーリズム　190
コラム＊ラオスの未来を生きる子どもたち　219

あとがき◉日本の縄文人とラオスの先住民との遺伝的なつながり　234

第一章

社会主義国の王様たち

地方から出てきたラオス人と、外国からやって来た観光客で、いつも賑わうパトゥーサイ（勝利の門）

愉快な社会主義の国、ラオス

　みなさんは、ラオスが社会主義国家であることを、ご存知ですか？　ラオスの国の正式名称は、和訳で、「ラオス人民民主共和国」。ラオス人民革命党の一党独裁による国家体制です。

　ところが、この社会主義国家、首都ビエンチャンを通る大通りの名前が、みんな、王国の名と、王様たちの名からとっているんです。おかしいですね。ただし、四つの大通りはすべて、一九七五年の社会主義国家の建設以前に命名されたものでした。おかしいのは、社会主義国家を打ち立てた政府が、首都ビエンチャンの心臓部を走る大通りの名称として、自分たちが打倒した王国に関わりのある名前に手を触れなかったことです。

　たとえば、これを中国に置き換えてみると、分かりやすいでしょう。一九四九年の革命後の中国の大都市にある大通りは、人民路、解放路、建国路、中山路などという、革命にちなむ生真面目な名前を付けられました。私は、三〇年以上前に初めて中国に旅行し、上海と桂林を訪れました。そして、これらの道路名を知って、違和感を持つとともに、社会主義国家とは、日常生活の基盤である道路にも革命の印を残すのだな、と感心したことを思い出します。そんなことを思いながら、あらためてビエンチャンの大通りの名前と較べてみると、肩の力が抜けてしまうのです。ラオス、まことに、愉快ではありませんか。

　さて、みなさんがラオスの首都ビエンチャンの町の散策を楽しもうと思ったら、町の中心部を走る四本の大通りの名前を覚えるのが一番です。ここからは、昔のラオスの王様や王国の名前がしばらく続きますので、読者のみなさんのご理解の一助に、ラオスの国家体制の変遷を、極めて乱暴ですが、表にしました。

一四世紀半ば	ラオスの歴史上で初めて、国土が統一された。ラーオ族のファーグム王がラーンサーン王国を建国して、現在のルアンパバーンの地に都を置いた。
一六世紀半ば	セーターティラート王がビエンチャンへの遷都を行った。彼の時代、王国は隆盛を極め、その領土はメコン川の西岸（現在のタイの領土）に深くに及んだ。
一八世紀初め	ラーンサーン王国は分裂し、ビエンチャン王国、ルアンパバーン王国、チャンパーサック王国の三国時代に入った。
一八世紀後半	三国はすべて、シャム国（今のタイ）の支配下に入った。
一九世紀前半	ビエンチャン王国のアヌ王がシャムに反旗を翻した。しかし、反乱は鎮圧されて、アヌ王は捕えられ、バンコクの地で憤死した。
一九世紀の末	フランスがメコン川の東岸を植民地化した。この結果、メコン川の東西流域に住んでいたラーオ族は、西岸のシャム領と東岸のフランス領ラオスとに二分され、現在に至る。
二〇世紀半ば以降	一九四五年四月、シーサワーンウォン王が日本軍の圧力の下、ラオスの独立を宣言した。その後、右派、左派、中立派に別れたラオスの政治勢力に、ラオスを再占領したフランス、そして、フランスの撤退後はアメリカと、ベトナムの干渉が入り、同時併行の内戦と対外戦争を経て、一九七五年、ラオス人民民主共和国が成立し、現在に至る。

まず、ビエンチャンの町の中心から北東に向かって延びる大通りが、一四世紀半ばにラオスを初めて統一した王国の名からとった、ラーンサーン通りです。

次に、町の中心を東西に貫く三本の大通りは、南から順に、王国を建国した初代王の名から、ファーグム通り、その北に、一六世紀にルアンパバーンからビエンチャンに遷都した王の名から、セーターティラート通り、そして、一番北に、ファーグム王の後を継いだ二代目王の名から、サームセンタイ通りです。なお、東西に走る三本の大通りは、すべて一方通行です。真ん中のセーターティラート通りが西から東へ、そして、南北を走るファーグム通りとサームセンタイ通りが、東から西へ、と。そんな大通りを、乗用車、ピックアップ・トラック（後部に開放型荷台を持つ小型貨物自動車。これが、やたらと多いのです。63頁の写真参照）、オートバイ、バスに交じって、「三輪タクシー」のトゥクトゥクが悠然と走っています。

ラーンサーン通りの北端から、細長い公園を挟んで、北東に延びる通りの名は、一九七五年の社会主義国家建国の英雄であり、ラオスの初代大統領であったカイソーン・ポムビハーンからとっています。また、セーターティラート通りの西端から西に延びる通りの名は、王族なのに内戦時に社会主義勢力の表の顔となり、「赤の殿下」と呼ばれたスパーヌウォンからとっています。町の中心部からほんの少し離れるだけですが、この辺まで来ると、ラオスが社会主義国家なんだということを、思い出さざるを得ません。

それでは、四本の大通りを紹介します。

ファーグム王の並木道と、王様たちの銅像

南端のファーグム通りは、メコン川の土手のすぐ北側を走っています。この通り沿いには、お寺、伝統のあるホテル、土手下に広がる公園、白亜の「迎賓館」などがあります。また、通りの両側には、背の高い並木が続いていて、他国の大都会から来た人間には、この通りが一国の首都の中心部の大通りとは、とても思えない風景です。

この通りの名の由来となったのが、ファーグム王(在位一三五三〜一三七一年)です。私の手元に、『ラオス人民民主共和国四十年』という英語の本があります。*ラオス建国から四十年目にあたる二〇一五年の発行で、発行者名は、党中央委員会宣伝局、情報文化観光省、計画投資省とあります。この本の「歴史」の章の最初のページに、ファーグム王の写真が丸々一ページに載っていて、キャプションで、「一三五三年、ラオスの諸都市国家を統一し、ラーンサーン王国を創始した偉大な王」と紹介しています。「偉大な王」、ですよ。この王様の銅像が、ワッタイ国際空港から車に乗ってスパーヌウォン通りを町の中心に向かって走る途中に建っています。

そうなんです。ラオス人民民主共和国政府は、町の大通りに昔の王様たちの名を付したばかりでなく、四人の王様たちの銅像を、町のあちこちに建てているのです。みなさん、中華人民共和国政府が、北京の街の中に、秦の始皇帝や、漢の武帝、唐の玄宗、明の永楽帝、清の乾隆帝の銅像を建てるなどということを、想像できますか。ラオス人民民主共和国政府って、やはり愉快ですね。

背の高い並木道をトゥクトゥクが走るファーグム通り。一国の首都の中心部を走る「大通り」とは思えない静けさ。

＊ LAO PDR40YEARS 1975-2015 The Propaganda and Training Board of Party Central Commitee, Ministry of Information, Culture and Tourism and Ministry of

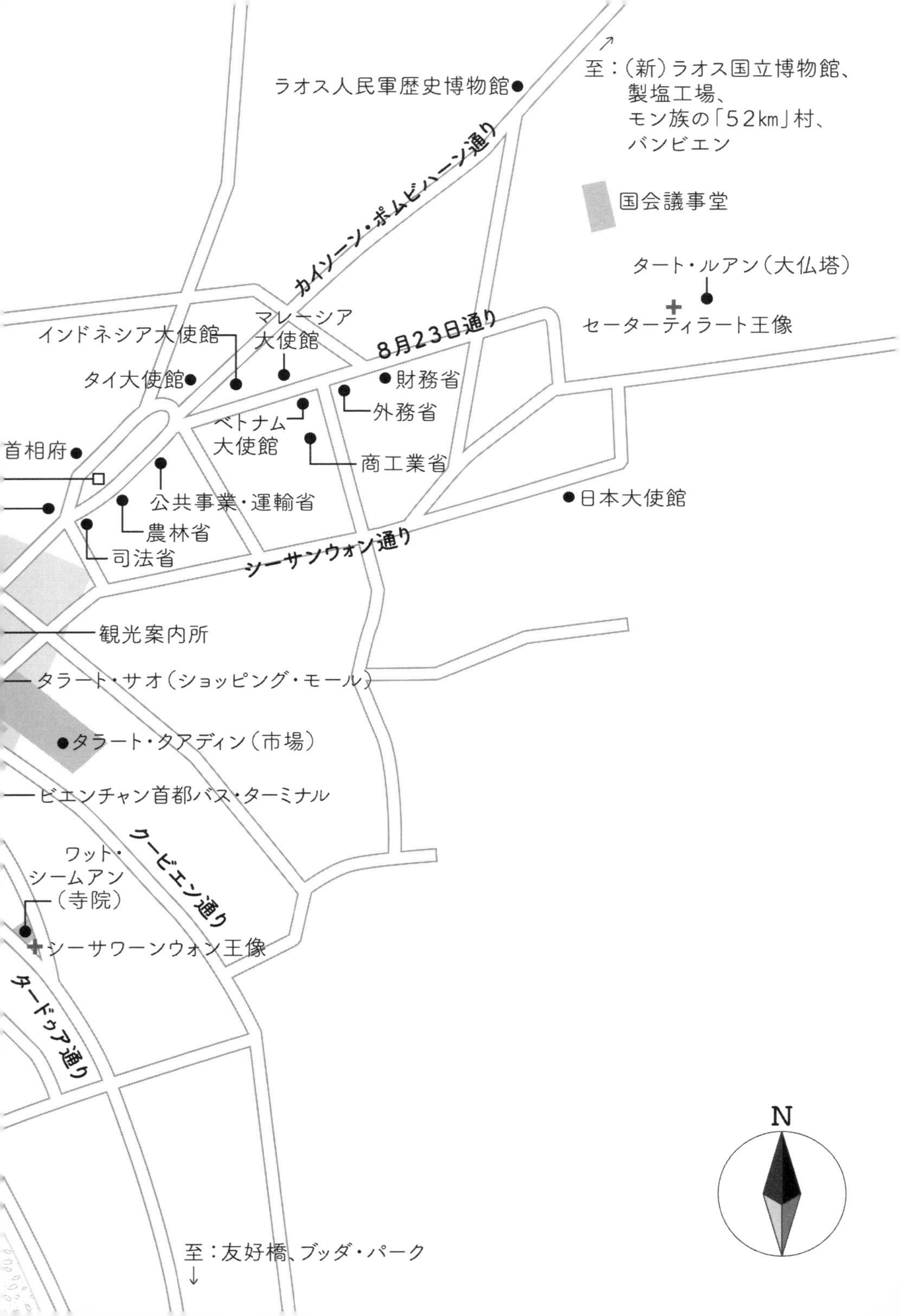
至：（新）ラオス国立博物館、
製塩工場、
モン族の「52㎞」村、
バンビエン
ラオス人民軍歴史博物館
カイソーン・ポムビハーン通り
国会議事堂
タート・ルアン（大仏塔）
セーターティラート王像
8月23日通り
マレーシア
大使館
インドネシア大使館
タイ大使館
財務省
外務省
ベトナム
大使館
商工業省
首相府
公共事業・運輸省
農林省
司法省
日本大使館
シーサンウォン通り
観光案内所
タラート・サオ（ショッピング・モール）
タラート・クアディン（市場）
ビエンチャン首都バス・ターミナル
クービエン通り
ワット・
シームアン
（寺院）
シーサワーンウォン王像
タードゥア通り
至：友好橋、ブッダ・パーク
N

ビエンチャン

中心部エリアは
次のページに拡大図があります

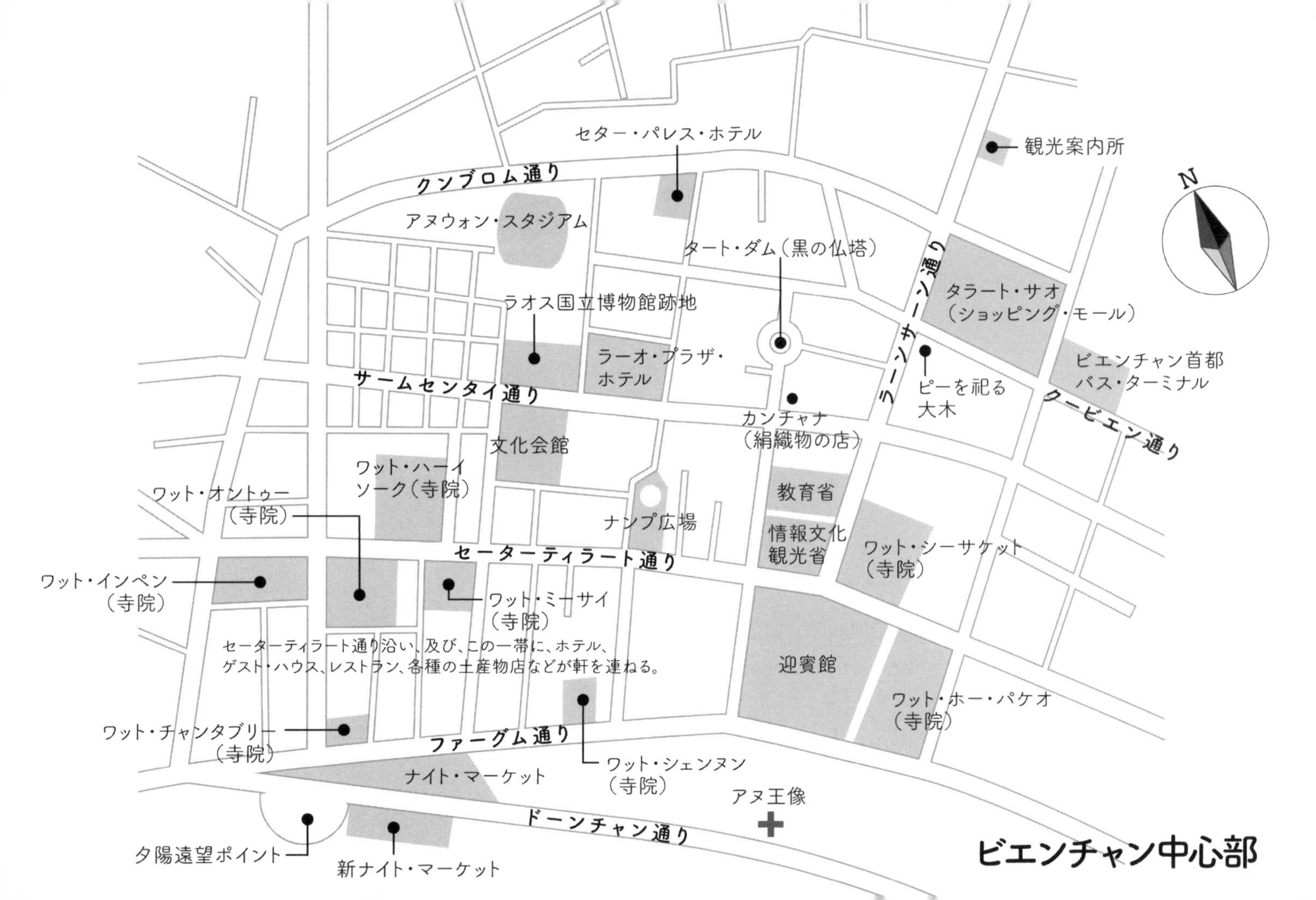
ビエンチャン中心部
N
セター・パレス・ホテル
観光案内所
クンブロム通り
アヌウォン・スタジアム
タート・ダム（黒の仏塔）
ラーンサーン通り
タラート・サオ
（ショッピング・モール）
ラオス国立博物館跡地
ラーオ・プラザ・
ホテル
ビエンチャン首都
バス・ターミナル
ピーを祀る
大木
サームセンタイ通り
カンチャナ
（絹織物の店）
クービエン通り
文化会館
ワット・ハーイ
ソーク（寺院）
ワット・オントゥー
（寺院）
教育省
ナンプ広場
情報文化
観光省
ワット・シーサケット
（寺院）
セーターティラート通り
ワット・インペン
（寺院）
ワット・ミーサイ
（寺院）
セーターティラート通り沿い、及び、この一帯に、ホテル、
ゲスト・ハウス、レストラン、各種の土産物店などが軒を連ねる。
迎賓館
ワット・ホー・パケオ
（寺院）
ワット・チャンタブリー
（寺院）
ファーグム通り
ワット・シェンヌン
（寺院）
ナイト・マーケット
アヌ王像
ドーンチャン通り
夕陽遠望ポイント
新ナイト・マーケット

ラオス政府が建てた王様の銅像の主は、まずは、ファーグム王です。ラオス人民民主共和国政府が、二〇〇三年に建立しました。場所は、先に書いた通りです。先に挙げた、人民民主革命党の名で刊行された英文の本には、「偉大なる王、ファーグムは小国家群を征服して、国土の統一を成し遂げ、インドシナ半島に広がるラーンサーン王国の樹立を宣言した」と、誇らしげに書かれています。

次の銅像は、その王国の強化を主導したセーターティラート王（在位一五四六～一五七一年）です。今日では、ミャンマーとラオスの国境のすべてと、タイとラオスの国境の多くの部分は、メコン川が流れています。しかしラーンサーン王国の最盛期には、両国との国境はすべて、メコン川よりかなり西側にありました。つまり当時のラーンサーン王国の領土は、現在のラオスの領土よりはるかに広かったのです。タイとの国境がメコン川に引かれてしまったのは、「ラオスの国家体制の変遷」に書いた通り、フランスによるラオスの植民地化がなされた一九世紀の末でした。

そして、ラーンサーン王国分裂後の王国の王様の銅像が二つあります。一つは、一九世紀前半のビエンチャン王国のアヌ王（在位一八〇五～一八二八年）のそれです。一八世紀の初めに、ラーンサーン王国は王位継承の争いから、ルアンパバーン、ビエンチャン、チャンパーサックの三国に分裂してしまいました。当時、シャム国の朝貢国となっていたビエンチャン王国のアヌ王は、シャム国への反攻を試みて戦いを挑んだのですが、敗れて捕えられ、バンコクの地で憤死したと伝わります。大国のシャムからの完全な独立をはかったアヌ王は、ラオス人にとっては、愛国の

ラオス人民民主共和国政府が建立したファーグム王の銅像。国際空港に到着した人が空港を出て最初に出会うのが、この王様。

ルアンパバーンからビエンチャンへの遷都を行ったセーターティラート王の座像。

英雄であり、現在の政治体制を越えた存在なのでしょう。そのアヌ王の銅像が、後に出てくるドーンチャン通り沿いのメコン川の土手の上に建っています。今でも、ビエンチャンの住民によって銅像に供えられる花輪は、絶えることがありません。ところで、アヌ王の銅像は、ラオスにとってつい四半世紀前まで仇敵であったメコン川の向こう岸のタイ国を向いて立ち、右手を差し出しています。アヌ王の銅像は、二〇一〇年に現在の社会主義政府が建立したのですが、さて、この右手にどういう意味を籠めたのか。

もう一つは、ワット・シームアン寺院の裏手の公園に建つ、シーサワーンウォン王（在位一九〇四〜一九四九年）の銅像です。この王様は、二〇世紀に入ってからの、しかも、日本とも多少の関わりのある王様でした。一九四五年三月、日本軍がラオス、ベトナム、カンボジアのインドシナ三国に駐留していたフランス軍を追い出して、三国にフランスからの独立を宣言させた時のルアンパバーン王国の王様が、シーサワーンウォン王でした。その後、ラオス王国政府とそれの後ろ盾となったフランス、次いでアメリカと、反植民地主義者たちとの間に激しい戦争が始まりました。その戦争の終わりに近い一九七三年に、シーサワーンウォン王の銅像が建立されたそうです。それは、王族であり、かつ、中立派であったスワンナプーマーが、右派、左派との妥協を必死に探った時期にあたります。スワンナプーマーは、シーサワーンウォン王の銅像の建立をもって、民族和合の象徴とし、内戦の終結を願ったのかもしれません。

王の銅像の建立から二年後に、社会主義国家ラオスが誕生しました。新国家の元首には、スワンナプーマーの異母弟で、内戦中は「赤の殿下」と呼ばれたスパーヌウォンがつきました。その

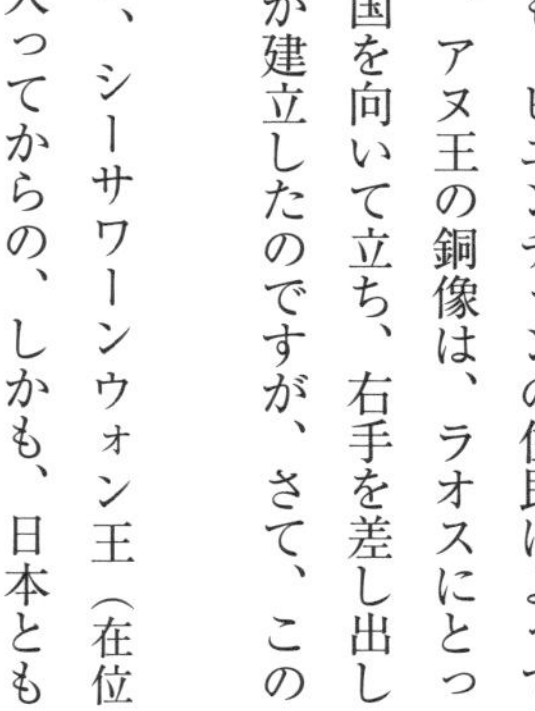

ドーンチャン通りのアヌ王の銅像。メコンの向こう岸、タイに向かって右手を差し出す。

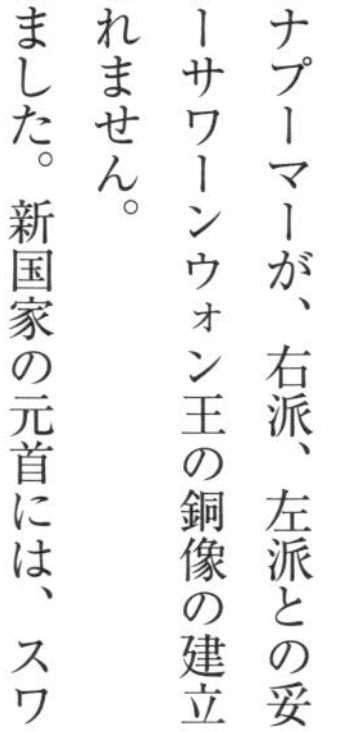

シーサワーンウォ

ことと、シーサワーンウォン王の銅像が今に残ることと、関わりがあるのか、私には分かりません。この王様の生涯には、銅像として残る他の三人の王様たちのような英雄らしさがないのに、その銅像はもっとも恰幅がいいのが、なんとなしの可笑しみです。

小難しいことを言いましたが、ファーグム通りに立ち返ると、古い建造物と豊かな並木が作りだす風景は、一国の首都にいることを忘れさせます。

セーターティラート王の〝銀座通り〟

次に紹介するのは、ビエンチャンの「銀座通り」こと、セーターティラート通りです。町を東西に貫く三本の大通りの真ん中を走る、ビエンチャンの大動脈です。既述のとおり、名前は、一六世紀半ばにラーサーン王国の都をルアンパバーンからビエンチャンに遷した王様の名からとりました。京都の四条通りを、平安遷都を行った天皇の名にちなんで、「桓武通り」とでも名付けるようなものでしょうか。この王様の時期、ラーンサーン王国はその隆盛を誇りました。メコン川の西岸の、現在イサーン地方と呼ばれるタイの領土は、住んでいるラーオ族の人々の数がラオスよりも多いのですが、セーターティラート王の時代は、ラーンサーン王国に属していました。ビエンチャンにあるタート・ルアンの黄金の大仏塔も、ワット・シームアン寺院も、ルアンパバーンにある優美なワット・シェントーン寺院も、この王様の治世に建てられました。この偉大な王様の名を、ビエンチャンの大動脈となる大通りに付けたラオス人のセンスは、悪くないと思いま

ン王の銅像。どの王の銅像よりも恰幅がいい。

す。

私がビエンチャンに赴任したばかりで、まだ通りの名の由来も知らなかった頃、まずはタート・ルアン大仏塔に敬意を表するということで訪れました。広々とした寺院の敷地に、立派な黄金の大仏塔が建っていて、その大仏塔を守るようにして、セーターティラート王の座像がありました。この座像は、一九五七年、つまり、ラオスがまだ内戦中に、ラオス王国政府によって建立されたものです。他の社会主義国家なら、革命のどさくさの中で破壊されてしまったかもしれません。私は、二〇一七年一一月に開催されたタート・ルアン祭りに、情報文化観光省の一員として参加しました。セーターティラート王の座像の前に造られた式場の貴賓席には、社会主義政府の情報文化観光大臣が、伝統の式服を着て、正式な式服で着飾った夫人と一緒に座っていました。

この大仏塔には、日本から知人が来た時など、何度か案内しました。境内には、橙色の衣を着た僧侶たちの姿も見かけましたし、大きな菩提樹の樹下には、金箔を塗った仏像が並んでいました。その風景を眺めながら、私は、ラオスが社会主義国家であることを、すっかり忘れていました。

さて、銀座通りの話でした。東京の銀座通りの両側には、日本を代表するデパートの大型店舗、海外のブランド・ショップの人目を驚かす建物、老舗の各種専門店などが、一丁目から八丁目まで、軒を連ねています。

しかし、セーターティラート通りには、それらの一つとしてありません。代わりにあるのは、様々な種類の平屋、あるいは二階建ての飲食店と、コットンやシルクの衣料品店、五階、六階建てのゲストハウスやホテル、そして、なんといっても、広い敷地を占めるお寺と、高木の並木です。

首都ビエンチャンの〝銀座通り〟、セーターティラート通りの中心部。並木の間をトゥクトゥクが走り、高層ビルとは無縁の世界。

町の中心部の、長さにして六〇〇メートルほどの通り沿いに、ワット・インペン、ワット・オントゥー、ワット・ミーサイ、ワット・ハーイソークの四つの大寺院が、江戸時代の大名屋敷のごとく広い敷地を占有しています。みなさん、芝の増上寺、浅草の浅草寺、上野の寛永寺、築地の本願寺がすべて、銀座通り沿いに密集するなどという風景を想像できますか。ラオスでは、それほどに仏教が人々の生活に溶け込んでいるということなのでしょう。一国の首都の顔としての、東京の銀座通りと、ビエンチャンのセーターティラート通りとを較べると、あまりの違いに、言葉を失います。

セーターティラート通りは、ビエンチャンの町歩きの拠点です。大寺院を訪れてみるのもよいでしょう。あるいは、どこでもいいので通りの角を曲がると、レストランや土産物屋、ゲストハウスなどが立ち並び、また、食べ物の屋台が出ています。そして、様々な国からやって来た観光客がそぞろ歩きを楽しみ、あるいは店に入って、食事や買い物をのんびりと楽しんでいるのです。そのままファーグム通りに向かって南下すれば、メコン川の土手までもすぐです。

私は、ビエンチャンでは、この通りの一本北を走るサームセンタイ通りに面したアパートに住んでいました。夕方、メコン川の土手に出て夕陽を眺めるために、あるいは、週末に、特別な目的もなく散歩を楽しむために、よくセーターティラート通りとその周辺を歩きまわったものです。東京のように急ぎ足で歩いている人は、まずいませんでした。郷に入っては郷に従え。普段は速足の私も、ノンビリと散策を楽しんだものです。もっとも、私の速足は、ラオスから帰国して一週間もせずに復活しましたが。

セーターティラート通り沿いには、大寺院が甍（いらか）を連ねる。写真は、屋根の姿が独特なワット・ハーイソーク寺院。毎朝、三〇人ほどの僧侶が托鉢に出る。

サームセンタイ王の〝日常通り〟

「銀座通り」の次は、風景としてはあまりさえないサームセンタイ通りです。通りの名は、ラーンサーン王国〝建国の父〟であるファーグム王の後を継いだ二代目の王（在位一三七三〜一四一六年）の名です。父が初めて築いた統一王朝の権力基盤の強化に努めた王様でした。

このサームセンタイ通り、すでにご紹介したファーグム、セーターティラートの大通りに比べると、何の変哲もありません。寂しいことに、立派な並木も、王様の銅像もないし、そういえば、ラオスの町の大きな通り沿いに必ずあるお寺すら、ありません。

では、何もないのかというと、そんなことはありません。ラオスの国花のチャンパーとブーゲンビリアの花に包まれたラオス国立博物館が、ありました。過去形で書いたのは、二〇一七年に他の場所に移転することになってしまったからです。こんなに便利の良いところにあったのに、個人旅行者にとっては迷惑な話ですが、歩いては行きづらく、分かりづらい場所に移ることになりました。* それはそれとして、この通りには、日本人ビジネスマンがよく泊まる、ラーオ・プラザ・ホテルがあります。ビエンチャンに滞在した二年間、私は、このホテル近くのアパートに住んでいました。この通りをちょっと横道に入ると、国立競技場や、テニス・コート、水泳プール、それに、私がパワー・スポットと呼ぶタート・ダムがあります。

本格ラオス料理のレストラン「クア・ラーオ」や、各国料理のレストランがあります。私のア

＊ラオス国立博物館の旧館が閉館して三年以上経った二〇二〇年一〇月六日、新国立博物館が部分開館したそうです。場所は、ラーンサーン通りの北端から北へ六キロほど行った、外国人観光客にとってはとても不便なところ。しかも、週末も祝日も休館で、平日のみ八時〜一二時、一三時〜一六時の開館とのこと。いやはや、何もかも、ラオスだなぁ！

パートの並びには、ジュースとバケット・サンドとフルーツ・サラダを提供する、小さくてオープンな店が、三軒並んで競い合っていました。私はよく、その内の一軒の店でパッション・フルーツのキンキンに冷えたスムージーを飲みましたが、一杯七〇〇〇キープ（約九〇円）でした。それぞれの店では、外国からの観光客やビエンチャン在住の外国人が、のんびりと寛いでいます。特に最近では、ソウルから直行便でやって来る韓国の若い女性たちが増えて、ジュースを飲んだりバケットを頬張りながら、楽しそうにおしゃべりに興じているんです。そんな店の前を、毎朝、天秤棒を担いだ力強い物売りのおばさんたちが、とれたての野菜や川魚、羽をむしりたての鶏などを盛った籠を吊って通っていったりします。

こう書いてくると、サームセンタイ通りも、悪くないですね。

ラーンサーン王国の〝ジャンゼリゼ〟

さて、ビエンチャンの〝ジャンゼリゼ〟、ラーンサーン通りを紹介します。

ラーンサーンというラオス語は、一四世紀半ばにラオスの国土を統一・建国した王国の名です。ラオス語で〝百万頭のゾウ〟を意味します。現在、ラオスに生息するゾウの数は、一〇〇〇頭を切ってしまったと聞きましたが、かつては、王国の名にしたくなるほど多くのゾウが、ラオスの地に生息していたんですね。

このラーンサーン通りは、ビエンチャンの中心部の東側を、東北から西南に約一キロにわたっ

サームセンタイ通りには、並木も、大寺院も、王様の銅像もない。左手奥の五階建ての建物は、私が滞在したアパートで、この近辺では最高層の建物。

て走る、町の背骨です。ビエンチャンで、ということはラオスでもっとも広い通りで、中央分離帯を挟んで片側三車線、計六車線あります。

この通りの東北端には、パリのエトワール凱旋門を模した戦没者慰霊塔のパトゥーサイが聳えています。パトゥーサイは、エトワール凱旋門の様式を模しているばかりでなく、ラオス語のパトゥーサイは、文字通り「凱旋門」を意味するのです。現在の社会主義国家を建国したラオス人の先人たちは、半世紀を超えるフランスの植民地支配に抗して激しく戦いました。そのラオス人が、なぜかつての宗主国フランスの建造物を真似たパトゥーサイを造ったのでしょうか？　答えは、パトゥーサイを造ったのは現政権ではなく、一九七五年に現政権に倒されたラオス王国の政府だった、ということです。

一九五四年、ベトナムのディエンビエンフーの戦いで決定的な敗北を喫したフランスは、長らく自国の植民地であったベトナム、ラオス、カンボジアのインドシナ三国から撤退しました。一九六〇年代の初頭、連合政府から左派と中立派を排除した右派将軍の一人が、パリの凱旋門を模した「パトゥーサイ（勝利の門）」の建設を命じました。パトゥーサイの壁面に掲げられた解説文によれば、「一九六二年築」とありますが、建設開始後も内戦と、対アメリカ戦が続き、パトゥーサイは未完のまま、一九七五年の社会主義国家ラオスの成立をみたのです。その社会主義政権は、打倒したラオス王国の遺産であり、かつての宗主国であったフランスの象徴の一つともいうべきパリの凱旋門を真似たパトゥーサイを、まるで何ごともなかったかのように、未完のまま残したのです。パトゥーサイの塔の下に入って上を見上げると、天井にみごとなモザイク画が描いてあ

パリの凱旋門を模したパトゥーサイに上って、ビエンチャンの〝シャンゼリゼ〟、ラーンサーン通りを見下ろす。片側三車線の大通り

ラーンサーン通り沿いには、中央官庁や銀行、大型商店、寺、学校などの他、テント張りの食堂もある。私も、この食堂で約 200 円の昼食を食べていた。

ります。画のモチーフは、仏教説話からとったものと、ヒンドゥー教の聖典であるラーマーヤナの叙事詩の一部の世界、そしてラオス王国の国章と国旗に使われた三頭のゾウなんです。そこには、社会主義革命の片鱗もありません。

パトゥーサイのある場所は、細長い島のような公園になっていて、エトワール凱旋門のあるシャルル・ド・ゴール広場のように、ラウンド・アバウトになっています。パトゥーサイの塔の中に入り、頑張って石の階段を登りつめて、塔の上からラーンサーン通りを眺め下ろすと、エトワール凱旋門の上から眺め下ろしたシャンゼリゼ通りと、構図がそっくりの風景です。ただし、目に入ってくる町並みは、パリに較べてしまうとかなり田舎っぽいと言えますが。眼下に真っすぐ延びるラーンサーン通りのはるか彼方は、セーターティラート通りにぶつかり、白亜の迎賓館で終わります。迎賓館は、可愛らしい首都、ビエンチャンらしからぬ、堂々たる建物です。

ラーンサーン通りには、中央官庁や大使館、銀行、地元の人たちが利用するショッピング・モールや飲食店、そして、お寺が立ち並んでいます。ビエンチャン市民のために、生鮮食料品以外のあらゆる生活日用品を取り扱う「タラート・サオ・モールⅠ、Ⅱ」も、この通りに面しています。東京でいえば、霞が関と丸ノ内に、商店街をくっつけて、時代を半世紀以上前に戻したような町並みでしょうか。ビエンチャン市民にしてみたら、自分たちの住む町を、東京の街になぞらえられても困惑してしまうばかりでしょうが、東京から来た私は、つい首都つながりで考えてしまいます。

通りの両側には、様々な種類の木が並んでいて、特に一〇月を過ぎて乾季に入ると、チャンパー

ここの箇所は、二〇一八年十一月に書きました。ところが、二〇一九年二月の半ばに、『ラオスの基礎知識』（山田紀彦、めこん）という本を読んでいて、思わぬことを知りました。一九九一年に制定されたラオス人民民主共和国の憲法の前文の、しかも出だしに、ファーグム王によるラーンサーン王国の建国が、誇らしげに書かれている、というのでした。「十四世紀半ば以降、我々の祖先、特に

の花をはじめとして、白、紫、黄色など、様々な色の花が咲きだします。

さて、こうしてビエンチャンの大通りを見てきて、あらためて、ラオス政府が王国や王様の名を大通りに付した理由を推測してみましょう。見てきたように、通りの名として付されたのは、ラオス初の統一王朝の名称と、その創始者の王様、また、統一王朝の権力基盤を強化した王様、そして、統一王朝の隆盛期を築いた王様の名でした。さらに、銅像となった王様としては、ラーンサーン王国が分裂してできたビエンチャン王国の、シャム国に反攻した英雄王と、第二次世界大戦の末期に、植民地帝国フランスからの独立を宣言したルアンパバーン王国の王様でした。人民路、解放路、建国路、中山路というような、上からかぶせるような政治色の強い命名よりも、国民感情に訴えるような命名を、ラオス人民民主共和国政府は、選んだのでしょうか。そうであるならば、それはそれで、ラオス政府の柔かな政治的知恵と言えるかもしれません。まあ、ラオス人のある種のナショナリズムの発露だとも言えるのでしょうか。すべては、ラオスにとってはよそ者の私の手前勝手な推測です。*

もっとも、ラーンサーン王国は、現在のラオスの人口の過半数を占めるラーオ族による王国でした。ラーオ族以外の四九族の少数民族の人々がこれらの王様たちに抱く感情が、私には分かりませんが。

ファーグム王はわが人民を導きラーンサーン国を建国し、統一と繁栄をもたらした」（同書九四頁）。そして、一九三〇年代以降、インドシナ共産党と社会主義革命党の正しい指導の下、少数民族を含めたラオス国民は、外国からの支配・圧政に抗して激しく戦い、ついに一九七五年の社会主義国家の建国に至ったと。「よそ者の私の手前勝手な推測」ではなく、ラオス政府は、正面から、国民のナショナリズムに訴えているのですね。

ドーンチャン通りに陽は落ちて

四本の大通りに追加して、もう一本の通りを紹介します。ドーンチャン通りといいます。ビエンチャンの中心部の最南端にある道ですが、なんのことはない、メコン川沿いの土手道です。二一世紀に入ってから新しく造られました。名前は、王様とも社会主義とも、何の関係もありません。「ドーン」は島、チャンは、諸説あるようですが、ここではセーターティラート王の遷都より前にビエンチャンの町を造った人、ブリ・チャンの名からとったということで、「チャンの島」としておきます。なお、ビエンチャンの語源も、ビエンは町、ということで、「チャンの町」となります。

前置きが長くなりました。この通りの見どころは、むろん、メコン川です。乾季には、土手の袂から彼方を流れるメコン川まで広大な河川敷が広がって、畑地として利用され、野菜の栽培が行われています。早朝にドーンチャン通りに出てくると、農家の人たちが、道端に河川敷の畑で取れたばかりの野菜を広げて、簡易な市場を開いて売っています。雨季になると、メコン川の水はドーンチャン通りの足元まで押し寄せてきます。そして、畑はすべて川底に沈みます（口絵3頁）。

この通りに立ってメコン川を眺め渡すと、向こう岸には木々の間に点々と建物が見えますが、すべてタイ国の家並みです。メコンは、ここでは文字通り国際河川なのです。「国際河川」という言葉は、極東の島国に住む私のようなアジア人には、なかなか実感しづらいですね。

「ラオスから摘んだ夕陽タイに落ち」

雨季、河川敷の畑は水底に沈む。向こう岸に見えるの

私は週末の早朝に早起きをして、よくこの土手道をジョギングしました。早朝の土手に、人影といえば、野菜を売る農家の人たちとそれを買いにくる人がちらほら、他にはジョギングをしている白人とすれ違うくらいでした。大河メコンを横目に眺めながらの、贅沢なジョギングでした。

さて、この道は、夕方になると様相が一変します。この辺では、メコン川が北西から南東に流れている関係で、冬場になると、夕陽がタイ側に落ちてゆきます。その夕陽を眺めながらドーンチャン通りをそぞろ歩き、あるいはジョギングする地元の人々や観光客がいます。また、ドーンチャン通りの一カ所に、河川敷に突き出すようにして、半円形の大きな広場があります。そこには、夕方になると、ピンク色の運動着を着てエアロビクスに興じる数十人の人々が集まります。その半円形の広場から河川敷までは半円形の石の階段になっていて、夕陽を眺める大勢の人たちが階段に座り込みます。だんだんと落ちてゆく夕陽を眺めていると、やかましい音を立てて、パラグライダーが目の前の中空をこれみよがしに横切っていったりします。操縦している人がもっと観衆の注目を引きたければ、メコンを跨いで向こう岸のタイまで、ひと飛びすればよいだけです。不法入国扱いとなってしまうでしょうが。

さらには、河川敷とは反対側の公園にオープンするナイト・マーケットの赤テントを冷かしに来る数多くの人々もいます。そして、土手の周囲に集まった人々を目当てに、食べ物や飲み物の小商いをするたくさんの屋台で、毎夕方、ドーンチャン通りは大賑わいとなります。

ラオスの首都のこの猥雑さと、メコン川の向こう岸に見えるタイの影絵のような家並みの静けさとの対比が、不思議な調和を保っています。

は、タイの町並み。ビエンチャンでは、メコン川は文字通りの国際河川。

コラム　ラオスの国旗とスーパームーン

二〇一七年一二月三日夜、ビエンチャンで私が住んでいたアパートの部屋の三階のベランダからスーパームーンを観察し、デジカメで写真を撮りました。

ラオス人民民主共和国にとって、月には特別な意味があるのです。ラオスの国旗をご覧ください。一九七五年に人民民主共和国として建国したラオスの国旗です。上下の赤い帯には、独立闘争で自由を勝ち取るために流された人々の血の色を、また、青い帯には、メコン川と川に育まれた豊穣を象徴させ、そして、中央の白丸には、メコン川に昇る月によって五〇の民族*の連帯を象徴させました。

ラオス国旗の意味を知ったうえで、あらためてスーパームーンの月を眺めていたら、メコン川の上に昇る月を見たくなってきました。ただ、それをするためには、ビエンチャンの町の南端を北西から南東に流れるメコン川を向こう岸に渡って、タイ国の側から眺めないとならないのでした。

なお、インターネットで、月をデザインした国旗を持つ国を検索したら、一六カ国ありました。しかし、大部分の国は三日月をデザインしており、満月をデザインしている国は、ラオス人民民主共和国とパラオ共和国の二カ国だけでした。

＊ラオス国民を構成する公式な民族の数は、長らく四九でしたが、二〇一八年一二月の国会で、新たにブル族が認められて、五〇となりました。ブル族の人々は、主に南部のサワンナケート県に住んでいます。

第二章

ビエンチャン——可愛い首都を歩き回る

トゥクトゥクは、車もバイクも持たない庶民と外国人観光客の足。

満月の夜と、黄金のタート・ルアン大仏塔

ラオスを旅するのが初めてという人には欠かせない訪問地の一つが、タート・ルアンの大仏塔です。この黄金の大仏塔、なにしろ、ラオス人民民主共和国の国章の中央に配置されているのです。また、ラオスの紙幣にも、初代の大統領の肖像と共に配置されています。

ちなみに、ラオスの国章は一九七五年の革命後に新たに制定されましたが、旧ソ連邦のデザインを模して、槌、鎌、星が中央に配されていました。しかし、旧ソ連邦が崩壊した一九九一年に、現在のデザインに変更されました。社会主義革命を象徴するデザインから、ラオスの伝統的な仏教を象徴するデザインへの、大胆な変更です。

一九七五年の革命成立の直後から、革命政府は、仏教を弾圧はしないまでも、仏教の行事を統制し、特に、僧侶の托鉢を禁じました。「働かざる者、食うべからず」という「社会主義」革命の標語を実践して、僧侶にも働くことを強いたのです。しかし、政府がせっかちにも革命の理念をただちに実現しようとした結果、西側諸国からラオスへの支援が停止されて人々の生活物資が不足し、加えて、国民の大多数が従事していた農業の集団化によって、農民の不満が増大していきました。そんな中で、僧侶への喜捨の禁止は、在家の人々が功徳を積む機会を奪うものでした（ラオスは上座部仏教の国で、出家した人は仏教の戒律を厳守し、自己救済を求めます。他方、在家者、特に、教義上出家ができない女性は、托鉢僧に喜捨したり、寺への寄進を行って功徳を積み、来世での幸福を求めます）。

タート・ルアン大仏塔。ラオスの国章と、紙幣にもデザインされ、国民の厚い信仰を集める、ビエンチャンのシンボル。

革命から間もなく、革命政府は方針の転換を余儀なくされます。まず、人々の「あたり前の日常生活」を確保することが優先されるべきことであったのでしょう。こうした流れの中で、社会主義国家の憲法を発布することとなった一九九一年、政府は国章のデザインを、いわば社会主義革命からラオスの伝統に変更をするに至りました。タート・ルアンでは、毎年一一月に盛大な仏事であるタート・ルアン・フェスティバルが催されますが、政府からは観光担当の大臣が参加することで、政府が仏事を大切にしていることを人々に訴えています。こんなところにも、ラオス政府の柔軟さが表れているのかもしれません。

第二次インドシナ戦争が終結した一九七五年に、ラオスの南の隣国カンボジアにも、ポル・ポト率いるクメール・ルージュ主体の革命政権が誕生しました。しかし、その後にカンボジアの地で起きたポル・ポト政権による自国民の大量虐殺に思いをいたすとき、二国間の想像を絶する違いがどこからきたのか、考え込まざるを得ません。

さて、タート・ルアンです。この黄金色の大仏塔のオリジナルは、一六世紀の半ばにラーンサーン王国の都をルアンパバーンからビエンチャンに遷したセーターティラート王によって、一五六六年に建立されました。日本では、織田信長が、尾張一国を統一したばかりのころです。境内には、この王様の座像が大仏塔を背にして建っています。膝の上に置いた剣を両手でわしづかみにして、首都ビエンチャンを守る気概を見せつけるような姿をしています。

残念ながら、現在残る仏塔は、創建当時のものではありません。一八世紀の初めに、ラーンサーン王国が、ルアンパバーン、ビエンチャン、チャンパーサックの三国に分裂してしまったこと、

ラオス人民民主共和国の国章。1975年の社会主義革命時に制定の槌と鎌と星のデザインから、1991年にこのデザインに変更された。

そして、ビエンチャン王国のアヌ王がシャム国への反攻を試みたことは、すでに書きました。この戦いの時、ビエンチャンの町を占領したシャム国の軍隊は、この町を徹底的に破壊しました。一六世紀に建立されたタート・ルアンの仏塔も、町と運命を共にしたのです。

現在建っている塔は、一九三〇年代に再建されたものです。黄金色の塔は、先端までの高さが四五メートルあります。黄金色ですが、本物の黄金の塊を使っているのは先端の数十センチだけ。後発開発途上国ラオスの、身の丈に合った造り、と言うべきでしょう。なお、塔の構造物は、蓮のつぼみが開き切った様子を思わせる姿をしているのだそうです。

このタート・ルアンで、毎年、ラオス最大の祭りが開かれます。一一月の満月の日の早朝、ラオス全土から集まった数多くの僧侶たちによる大托鉢会が開かれます。午後になると、それぞれの民族衣装に身を装ったいくつものグループの男女たちが、黄金色に飾り付けた小型の御輿といった風情のものを担いで、ワット・シームアン寺院からタート・ルアンまでの約二キロを行列します。様々な民族衣装、特に若い女性の民族衣装の美しさを見るだけでも、祭りを見に行く価値は十分にあります。こんなことを言うと、仏様に対して罰当たりな気がしないでもありませんが、〝多様性の豊かさ〟を実感する祭りです。

仏事としてのクライマックスは、陽が落ちてからです（カバー写真）。セーターティラート王座像の側から大仏塔を眺めると、背後の空に満月が昇ってきます。ライトアップされた大仏塔の黄金色は、昼よりも鮮やかに夜空に聳(そび)え立ちます。すると、それぞれの民族衣装に身を固めた善男善女が、外門の玄関を通って内庭に入ります。そして、手にしたロウソクに灯りをつけて、ター

毎年、一一月の満月の日に開催されるタート・ルアン祭。ラオス全土からやって来た人々が、民族衣装をまとって参加する。

ト・ルアン大仏塔の周りを時計回りに三回巡りながら、家族や知人の多幸と安寧を祈るのです。

この祭りが催される一一月といえば、ラオスはすでに乾季に入って、チャンパーの花もたくさん咲きだし、旅行にはうってつけの季節です。タート・ルアン・フェスティバルに合わせて、ラオスを訪れてみませんか。

そこまでやるか！　ワット・シームアン寺院

同じ仏教の寺院とはいえ、ラオスと日本とでは、ずいぶんと違います。ラオス仏教の寺院は、ヒンドゥー教や精霊信仰の流れも汲んでいるのか、黄、赤、緑などの色鮮やかな装飾や偶像が境内のあちこちに見られ、私は驚いたものです。とりわけワット・シームアン寺院は、また格別です。

場所は、サームセンタイ通りとセーターティラート通りの東の端近くで、両通りが交差する手前です。表門がサームセンタイ通りに、そして裏門がセーターティラート通りに面していて、町の中心から歩くと一五分くらいです。

まず、表門からして、どこぞの遊園地かとみまごうばかりのたたずまいです。そして、表門の左右に控えるのは、太い棍棒のような武器を地面に突き立てて、鼻下と顎（あご）に髭（ひげ）をたくわえた武人たち。これが、少しも怖そうでありません。むしろ、ユーモラスな顔立ちです。表門を潜り境内に入ると、あちこちに配置された、私にとってはなじみの薄い像が、目に飛び込んできます。腹の突き出た金の座像は、布袋様でしょう。しかし、蛇のような自分の頭髪を掴んだ女性やら、得

このみごとな門構え。色鮮やかな装飾の寺院が多いラオスだが、ワット・シームアン寺院は格別。

体の知れない髭面（ひげづら）の男やらは、いったい誰なんでしょう。ここは、本当にお寺なのかしら？

むろん、お寺なんです。立派なご本堂が建ち、中に入れば黄金色の仏像が鎮座しています。そして、境内のブーゲンビリアの花が咲く棚の木陰に、橙色の衣の若い僧たちの姿を見かけます。なによりも、ワット・シームアンは、ビエンチャンに住む多くのラオス人たちに親しまれているお寺なんです。現世利益（りやく）を求めて、願掛けに訪れる善き住民たちで賑わいます。お寺の周辺は、日本でいう門前町を形成していて、供え物の花や線香、ロウソクを売る店が立ち並んでいます。ちょっとした、下町風情です。

しかし考えてみれば、ラオスの人々が初めて日本を訪れ、標準的な（と言うのも変ですが）寺院を訪ねたら、何と陰鬱なことかと思ってしまうかもしれませんね。いや、ラオスばかりでなく、ミャンマーやタイ、カンボジアの寺院を見慣れた人々の目には、灰色の屋根に白壁、白木を基調とする日本の寺院建築と僧侶の衣は、陰の印象が強いことでしょう。

六世紀の半ばに日本に伝来した仏教は、中国から朝鮮半島を経て伝わってきました。奈良時代に鑑真和上（がんじんわじょう）によって創建された唐招提寺の金堂は、中国の唐の役所の建物の様式からきている、と本で読んだことがあります。インド北部で誕生した同じ仏教とはいえ、ガンダーラ（パキスタン北西部のペシャワール地方の古代における地名）に北上し、西域を経由して中国、朝鮮半島、日本へ伝わったルートと、他方でインドシナ半島に南下してラオスへ伝わったルートがあり、教えの内容ばかりでなく、寺院建築や僧侶の衣に至るまで、今日あるような異なる姿になったんですね。

失礼ですが、どなたですか？

ワット・シームアン寺院の境内に散在する像たちについては、どうやら、現世利益に関わっているようです。しかし、日本にだって、現世利益を参詣者に期待させる寺院はあります。たとえば、真言宗の寺院の中には、歓喜天を祀って、病気平癒を祈祷したりする。あるいは、家内安全、交通安全など、この世における我が身の安寧を期待してお寺に参詣する人はたくさんいます。

こんなことを考えていたら、私は、マルコ・ポーロが『東方見聞録』の中で、当時の日本について聞き知って書いていることを思い出しました。「サパング（日本国。他のフランス語写本でシパング）は東方の島で、大洋の中にある。大陸から一五〇〇マイル離れた大きな島で、住民は肌の色が白く、礼儀正しい。また、偶像崇拝者である。*」、「カタイ（引用者注＝北中国）とマンジ（同、南中国）の偶像神もインドの偶像神も、種類は同じである。牛の頭をしている偶像神もあれば、豚、犬、羊、あるいは他の獣の頭をしている偶像神もある。あるものは頭を四つ持っている。あるものは三つで、両肩に一つずつ頭が載っている。手が四本のものもあれば、一〇本ないし一〇〇〇本のものまである。*」中国やインドにおける偶像神を言っていますが、要するに、馬頭観音や千手観音などのことでしょうね。興福寺の阿修羅像も、頭が三つあります。そうであれば、ワット・シームアン寺院の表門を、「遊園地」に譬（たと）えるような私のもの言いは、あまりにも一方的に過ぎました。

最後に、おかしな花の話。私がビエンチャンに来たばかりの頃、このお寺の入り口近くに、私の見知らぬ、ちょっと毒々しい花が咲いているのを見つけました。よく見ると、幼児の頭ほどもある、薄褐色の実を付けていました。部屋を借りていたアパートに帰宅して、インターネットで

*マルコ・ポーロ『東方見聞録』月村辰雄・久保田勝一訳、岩波書店

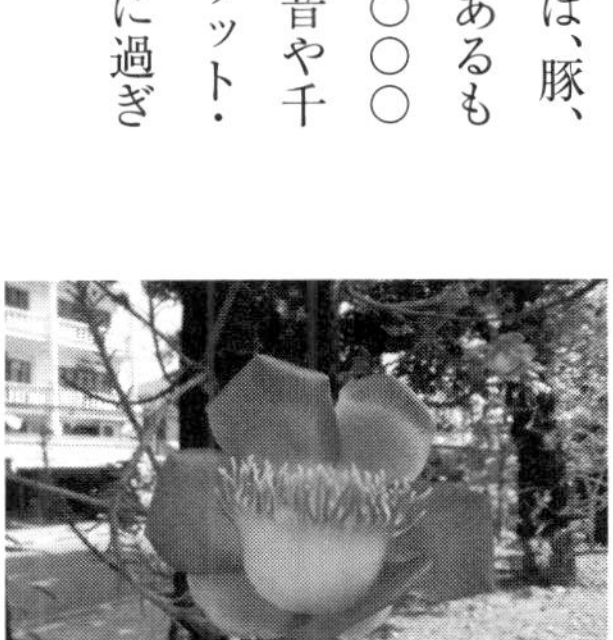

ワット・シームアン寺院の門前に生えるキャノンボール・ツリーの花

探してみたら、「キャノンボール・ツリー」という名を見つけました。「大砲弾の木」、という物騒な名前です。まあ、ワット・シームアンのお寺にふさわしい名前と言えなくもありません。自然の植物までが、このお寺の賑わいに花を添えているのでした。

このお寺と門前の賑わい、ラオスの多様性が生み出したものと考えればよいのでしょうか。

静かなり、ワット・シーサケット寺院

ワット・シームアンが「動」のお寺なら、ワット・シーサケットは「静」のお寺です。あるいは、「陽」と「陰」、さらには、「俗」と「聖」とでも申しましょうか。ワット・シーサケットは、建物の色彩もたたずまいも落ち着いているので、日本人にもなじみやすいでしょう。

ラーンサーン通りが南下して、セーターティラート通りにぶつかった正面に白亜の「迎賓館」がありますが、ぶつかる手前の東側の角地に、ワット・シーサケット寺院はあります。また、セーターティラート通りを挟んで向かい側には、ワット・ホー・パケオ寺院があります（カバー裏、上の写真）。一六世紀のビエンチャン遷都の際に、エメラルド仏を安置するために建立された由緒正しい寺院ですが、現在は、仏像などが陳列された博物館となっています。この一帯は緑が濃く、気温が四〇度を超えるような日でも歩きやすい木陰の続く通りとなっています。なお、このお寺に祀られていたエメラルド仏は、一八世紀後半にビエンチャンに攻め込んだシャムの軍隊によってバンコクに持ち去られてしまいました。現在では、バンコクの王宮の敷地内にあるワット・

ワット・シーサケット寺院は、屋根の勾配が深く、甍は空に突き抜けるよう。

プラケオ寺院、通称「エメラルド寺院」のご本堂に祀られて、毎日たくさんの仏教信者や他国からの巡礼者、そして観光客に参拝されているのは、多くの方がご存知のことでしょう。

さて、ワット・シーサケット寺院です。本堂と、本堂をロの字型に取り囲む回廊とからなっています。この単純・素朴な伽藍配置も、日本人がこのお寺に親しみを感じる要因かもしれません。ただし、このお寺の僧侶たちがいる建物は、回廊の外側に別にあるので、現在の寺院全体の伽藍配置は、そう単純ではないかもしれません。

本堂と回廊の建立は一八一八年で、ラオスの英雄、アヌ王の時代でした。シャムの朝貢国であったビエンチャン王国のアヌ王がシャムに反旗を翻したことは、すでに書きました。それに対して、一八二八年、ビエンチャンに侵攻してきたシャム軍によって、多くの寺院を含めて、ビエンチャンの町は徹底的に破壊されてしまいました。その時、破壊を免れた貴重な建築物が、この寺院でした。

本堂内は、写真撮影が禁じられています。履き物を脱いで入った本堂の正面に、金色の釈迦如来像がましまます。四囲の壁には、仏教説話に題材をとった絵が描かれています。絵は全体に相当に痛んでいましたが、二〇一七年に、西洋人の女性の監督の下、地元の人らしい絵師たちが入って、絵の修復をしていました。壁の絵が描かれていないところには、たくさんの龕（がん）が彫られていて、各龕に小さな二体ずつの仏像が納められています。そして、観光客が壁の絵や龕の仏像をものめずらしそうに眺めたり、地元の人たちが床に横座りして、釈迦如来を拝んでいたりします。参拝者と観光客と修復の絵師とが、三者三様の思いで、同時に狭い本堂の空間を占めているのでした。

回廊に並ぶ多くの立像、座像の中から、私が気に入った立像。

ちなみに、折り曲げた両足を左右のどちらか後方に投げ出して座る横座りは、日本では主に女性の座り方ですが、ラオスでは、男女ともに、托鉢の時を含めた仏事における正式な座り方です。

本堂の外に出ると、四囲を回廊が巡っています。回廊の中には立像、あるいは、結跏趺座像が並んでいます。また、回廊の壁にも龕が彫られ、各龕に二体ずつの仏像が納められています。回廊に彫られた龕の数は三四二〇あるそうですから、六八四〇体の小仏像が納められている計算になります。龕に納められた小さな仏像は、表情までは読み取れないのですが、立像、結跏趺座像はそれぞれが持ち前の表情と姿態をしていますので、自分のお気に入りの仏像（これまた、罰当たりな言い方ではありますが）を探してみるのも、このお寺を訪れる楽みの一つです。

私は、このお寺から歩いて五分ほどのアパートに住んでいました。毎朝、ちょうど六時頃、七人の托鉢の僧侶が我がアパートの前を通りました。ワット・シーサケット寺院の僧侶たちでした。時々、私は早起きをして托鉢の後を追ってゆきました。そして、同じ時間に、同じ場所で、同じ住民たちが、道端に座り、喜捨をしていることを知りました。彼らは、ご先祖代々、そうしてきたのでしょう。ご子孫たちも、そうしてゆくのでしょうか。

コラム　そこのけ、そこのけ、モンクが通る

ラオスの僧侶（英語でモンク）が着ている僧衣の色は、濃淡の差はあれ、鮮やかな橙色です。ビエンチャンやルアンパバーン、あるいはどこの町や村でも、寺院を訪れると、明るい僧衣の色に驚かされます。

また、首都ビエンチャンの町の大通りでは、一般のラオス人は、たいがい車やバイクに乗って移動します。大通りを歩いているのは、観光客かモンクです。私は、ビエンチャンのシャンゼリゼ、ラーンサーン通りに面した官庁の職場まで、毎朝夕、歩いて一〇分ほどの道のりを通っていました。通勤途上で歩いている人にすれ違うといえば、たいていは、若い韓国人や欧米からの観光客か、もしくは橙色の僧衣の若いモンクでした。

日本では、町で墨染の衣を着た僧侶に出会うなどということは、一年のうちでもお盆やお彼岸の時くらいですよね。私は、日本の町中の通りで僧侶に出会ったことなど、思い出せません。しかしラオスでは、いつどこの町を歩いても、朱色の衣をまとったモンクに出会います。彼らは、一人で、あるいは二、三人で連れ立って、きょろきょろとすることなく、黙々と歩いてゆきます。そんな彼らに出会うと、普段は不信心な私でも、思わず心が起立します。

「そこのけ、そこのけ、モンクが通る」などと、不穏当なタイトルにしましたが、そう言いたくなるほどに、モンクがラオス人の日常生活で存在感があります。

ビエンチャンで、ラオス人は車、バイク、乗り合いバス、トゥクトゥクに乗って移動する。歩いているのは、外国からの個人旅行者か、橙色の衣を着た僧侶。

精霊は、樹木に宿る

「ラオスの人々の間ではピーは、大きな樹木や森、山などの自然に宿り、神羅万象がピーの存在と意思にかかわるととらえられている。ピーの居場所にはたいてい、小さな家のような形をした祠がつくられている。*」

*『ラオスを知るための60章』明石書店

ここに出てくるピーは、日本語ではよく精霊と訳されます。生物・無生物を問わず、あらゆるものに霊が宿っているとするアニミズムに通じる考え方ですね。多くのラオス人が仏教徒でありながら、ピーも祀ってきました。

ビエンチャンの町を歩いていると、町中にある大寺院とは別に、大通りの歩道に生えている樹木の足元に、お供えものを見つけることがあります。ラオス人が、仏教の到来以前から信じてきた精霊、ピーを祀っているのです。巨樹の根元の窪みにロウソクや線香を立てたり、水や花を供えただけの素朴なものです。また、木の幹に、色のついた紐を巻きつけて、お供えものをぶら下げたものもあります。

私がビエンチャンに住んでいた時、毎朝の通勤で、サームセンタイ通りを東に歩き、ラーンサーン通りを左折してタラート・サオ・モールを通り過ぎていました。そのタラート・サオの道を挟んだ反対側の歩道には、漢方薬のような物を道に広げて商いをする女性たちや、トランプ占いをするおじさんが座り込んでいました。そして、道の角に生えている一本の大きな木の根元が洞のように凹んでいて、そこにロウソクと線香、それに供花と紙コップに入れた水が絶えることはありませんでした。私は、人がそれらを供える現場を見たことはありませんが、路端で小商いをしていた人々の誰かが毎朝供えているのだろう、と思っていました。

日本でも、仏教伝来以前の原初的な神道は、アニミズムであったと言われています。たとえば、奈良県の三輪山にある大神(おおみわ)神社ですが、神社という建築物がまだなかった時代に、その地に住んでいた人々が、三輪山そのものをご祭神の大物主大神が鎮まる地として祀り、山に向かって祈り

ファーグム通り沿いの大木の根元に建てられた、ピーのための祠。

（右）ファーグム通り沿いの大木の根元。この大木は、歩道を占拠している。
（上）ラーンサーン通りの交差点に立つ大木の根元。私は、毎日、この木の横を歩いて、事務所に通っていた。

を捧げたそうです。鎌倉時代以降に拝殿が設けられ、さらに明治時代以降は大神(おおみわ)神社と呼ばれていますが、今でも本殿の建物はなく、参拝者はご神体である三輪山に祈りを捧げるようになっています。

また樹木の前に人の身長くらいの高さの柱を建てて、その上に小さな家型の祠を設け、精霊を祀ることもあります。祠には、入り口に象や馬、狛犬のような動物のミニチュア像が置いてあります。そして、祠の中には、老人や身分の高そうな男女の像、舞姫のような女性像が祀ってあります。ワット・シームアン寺院の境内を縮小したような具合です。ここまでくると、素朴な精霊信仰から時代が下って、仏教やバラモン教などとの混淆があるのでしょうね。日本でいう神仏混淆に似たような心の動きから出てきたものなのでしょうか。

ある一日、私はビエンチャンの中心部を、精霊を祀っている祠をもとめて、歩き回ってみました。すると、ファーグム通りと、土手道のドーンチャン通りの間に生えている大きな木の陰には、たいがい祠がもうけてありました。中には、お供え物がなくなって時間が経つような祠もありましたが、多くの祠は、いまでも誰かがお供えをし、お参りをしているようでした。

精霊の祠は、大樹の根元ばかりでなく、町中の家や店の前にもよく見かけます。タイやインドネシアなどで見かけるものと同種なのだと推測します。しかし、個人的には、樹木の根元に建つ祠のほうに、人々の素朴な信仰心をより強く感じます。

ユダヤ教、キリスト教、イスラム教などの一神教の厳しさを生み出した砂漠の風景とは違って、精霊の宿る樹木の穏やかな風景は、我々日本人にとっても懐かしさを感じさせるものです。この

可愛らしい首都に住むラオスの人々が、いまでも樹木に精霊の息遣いを感じ取っているのかと思うと、ちょっと羨ましくなります。それは、東京のように効率とスピードを優先する「脳の中」に住む私のような人間がどこかに置き忘れてきてしまった、大切なものなのではないでしょうか。

勝手にパワースポット、タート・ダム（黒の仏塔）

ラーンサーン通りからサームセンタイ通りを西に入って二〇〇メートルほど歩いた十字路、そこを北に曲がり、さらに一〇〇メートル足らず歩くと、タート・ダムという名の奇妙な形をした塔に突き当たります。なぜ奇妙な形かというと、ラオスに多くある仏塔は、タート・ルアンに代表されるように台座が四角形をしています。ところがタート・ダムは、台座ばかりでなく、その上に積み重なる幾層かが八角形なのです。上に行くほど細く、かつ丸みを帯びてくるので、先細りの円筒形かと思いきや、よく見ると、最先端の手前まで八角形です。これはタイ様式だと言ったラオス人がいましたが、真偽のほどは確かめていません。

塔のある場所は道の突き当りと言いましたが、実は塔の周囲がロータリーとなっています。サームセンタイ通りから北に曲がって走って来て塔に突き当たった車は、右回りに回り込んでから右折することで、来た道をさらに北へと進むことができます。逆に、北側から走ってきた車は、同様にして、南下することができます。ここに、数百年前、ラーサーン王国のラオス人が塔を建てました。近年、ビエンチャンの町が発展する中で、この塔を残すために、社会主義国のラオス人

雨季には斜面が草茫々、乾季は素材の煉瓦がむき出しとなるタート・ダム。基壇のお供えが絶えることはない。

がロータリーを作ったのでしょう。もっとも現在我々が見ているのは、二〇世紀に入ってから再建された塔だそうですが、見た限りでは充分に由緒ありげです。

ラオス語で「タート」は「塔」、「ダム」は「黒」のことで、タート・ダムは「黒の仏塔」です。ビエンチャンにある同じタートでも、タート・ルアンに較べると、タート・ダムはたしかに黒く見えます。煉瓦を積み上げて造ってあるのです。乾季に撮った写真を見ると、煉瓦造りであることがよくわかります。

伝説によれば、タート・ダムの地下には隧道（ずいどう）が掘ってあり、ここから数百メートル南を流れるメコン川につながっていて、かつ、その隧道には、龍（ナガ）が棲んでいるのだそうです。ナガは、かつて、東南アジアの各地で広く信仰の対象となった、七つの頭を持つ架空の動物です。現在、ラオスのどこの寺院でも、門や階段の手すり、屋根の棟などにナガが配置されています。タート・ダムでは、ナガは地下にある隧道に棲み、時々メコン川に出かけて行って、食事をしているのでしょうか。それとも、メコン川そのものがナガなのでしょうか。

漫然と町歩きをしていて、周囲に寺院の建物がない通りの真ん中に、忽然と姿を現す仏塔に出会う。なかなか、不思議な時間の漂う空間です。近年、急激に増えてきた韓国人の個人旅行の若者たちが、タート・ダムを背景にしてカメラを構え、写真を撮っています。彼らも、タート・ダムの立ち姿に、いわく言い難い何ごとかを感じているのかもしれません。

なおタート・ダムは、我がアパートから歩いて三分ほどのところにありました。私は毎朝、勤務先に行くのに、このロータリーを歩いて通り過ぎながら、タート・ダムを見上げておりました。

ラオス語で「黒の仏塔」を意味するタート・ダムは、サームセンタイ通りの横道の真ん中に堂々と建つ。なんとも奇妙な風景。

ビエンチャンの住民の中には、今でもタート・ダムの隧道に棲むナガの存在を信ずる人々がいるようで、基壇の上のお供えが絶えるということはありませんでした。

ビエンチャン、朝の南無阿弥陀仏

東京に住む私は、「仏教徒」という自覚がないまま、春と秋のお彼岸、お盆、そして年末に、檀家となっている寺がある川崎まで出かけて、墓参りをするだけの人間です。しかし、ラオスのことを書くとなると、早朝の托鉢の仏事の話を欠かすことは出来ません。

ラオスで托鉢といえば、世界文化遺産に登録された町、ルアンパバーンが知られています。日本の旅行会社が販売するツアーの数は、ベトナム、カンボジア、タイ、ミヤンマーという隣国行きに較べると、ラオス行きはわずかしかありません。そして、そのわずかなツアーの大部分が世界文化遺産の町、ルアンパバーンを含み、ルアンパバーンを含むツアーのほぼすべてが、早朝の托鉢見学、あるいは托鉢体験を旅程に組み込んでいます。むろん日本ばかりでなく、世界中からルアンパバーンにやって来る旅行者が、これだけは見逃すまいということで、早起きをして、町の中央を走るサッカリン通りに集まり、托鉢の仏事を見学・体験します。その現状は、ルアンパバーンの章で詳しく述べることとします。

さて、仏僧による早朝の托鉢は、ルアンパバーンだけで行われているわけではありません。ラオス全土の町や村で、毎朝行われています。毎朝、です。首都のビエンチャンでも、むろん、行われています。私は、ビエンチャンに滞在した二年の間に、おそらく十回ほど、そのためだけに早起きをして、ビエンチャンの早朝の托鉢を見学に行きました。その中で、托鉢する僧と喜捨する人以外の、托鉢見学をする人に出会ったことは、一度もありませんでした。ルアンパバーンのサッカリン通りで起きている毎朝の大騒ぎを思い出すと、不思議なほどに、ビエンチャンの托鉢は、粛々と行われているのです。ビエンチャンにしてそうであれば、他の町や村では、なおさらのことでしょう。

私が二〇一六年一月にビエンチャンに到着して、最初に托鉢に出会った時のことです。托鉢を探すにあたって、ビエンチャン在住の日本人の方々に、どこへ行けば早朝の托鉢僧に出会えるか、聞いてみました。しかし、早起きをしてまでビエンチャンで托鉢を見に行ったことがある人はおらず、芳しい答えを得られませんでした。そこで、職場のラオス人の同僚に聞いてみました。彼らも、托鉢を見るために早起きをするなどという酔狂なことは、考えようもないのですが、中には、時々、自分も喜捨をする、という人がいました。しかし、彼らはみな、車やバイクで都心の職場から二〇〜三〇分はかかるところに住んでいるので、早朝に彼らの住む地域までトゥクトゥクに乗って行く、というほどの気にはなれません。彼らは、「どこでも見られるよ」と言ってくれたのですが、なんとも頼りのない情報でした。ビエンチャンの中心の「どこ」という明確な答えは持ち合せていないのでした。

ビエンチャンでの私の最初の托鉢との出会いは、ビエンチャンに到着してから二カ月が過ぎた、三月下旬のある朝でした。その朝、私は五時頃に目を覚まし、身支度を整えてアパートを出まし

ビエンチャンの住宅地で、私が初めて出会った托鉢風景。年若い出家僧たちと在家の女性達、何の飾りもない町の日常。

た。ラオスといえど、三月のその時間は、外はまだ薄暗いのです。どこへ行くという具体的な場所のあてもないまま、アパートが面しているサームセンタイの大通りを歩き、次に、セーターティラートの大通りを歩いて回りました。昼も夜も、たくさんの観光客が散策を楽しむ場所です。しかし、朝まだ暗いこの時間は、ヘッドライトを灯しながらたまに通り過ぎていく車以外は、托鉢どころか、人の気配もありませんでした。

そこで、住宅地域に目星をつけて、サームセンタイ大通りを西に向かってどんどん歩き、北側に折れて、地元の人たちの住んでいる区域に入って行きました。住宅街といっても、雑然としていて、屋根が破れかけた家もあれば、古い木造二階建てのアパートのような建物もあり、空地に、壊した建物の残骸のような鉄の波板や木材が積まれていたりするのでした。

そんな住宅街を、あてもなく歩いていて、とうとう橙色の僧衣の列に出会ったのです。彼らに初めて出会ったときの印象深い光景を、私は忘れることができません。早朝の白々と明け始めた住宅地の路上を、鮮やかな橙色の衣を着た僧侶たちが一列縦隊になって、私の方に向かって歩いて来たのでした。長い人生の中で、生まれて初めて目にする光景でした。

道の反対側に立ち止まって橙色の僧の列をやり過ごした後、彼らの後に従って歩いて行きました。全部で八人の僧列でした。みな、裸足です。右肩から太いバンドで吊ったお鉢を右手で抱えていました。全員が若いのですが、よく見ると、前を歩く三人が橙色の衣で両肩も両腕も被っているのに対して、後ろにつく五人は両肩を被う衣を身につけておらず、右肩を片肌脱いでいました。最後尾を歩く少年などは、背がことさらに低く、小学生のように見えました。

しばらく歩くと、一軒の家の前に、住民たちが座して僧列を待っていました。数えると、九人いましたが、男性は一人で、その男性だけは普通の木椅子に腰を掛けていました。残りの八人の女性は、老婆が一人、日本の銭湯にあるような小さな座椅子に腰かけていた以外は、地面の敷物に直接に横座りしていました。全員が、パービアンと呼ばれる仏事や結婚式の際に羽織るショールを肩から掛けて、女性は、むろん巻きスカートのシンを穿(は)いています。

いよいよ、僧列が住民たちの前までやって来ると、住民たちは、各自が手にした竹製の櫃(ひつ)や籠から、蒸した糯米(もちごめ)や菓子を取り出しました。そして、それらを型に則った仕草で、僧侶が差し出す鉢に恭しく入れるのでした。すべての僧侶が住民からの喜捨を受け終えると、僧侶たちは住民たちに向かって整列しました。住民たちは胸の前で合掌し、頭(こうべ)を垂れています。すると、僧侶たちの読経が始まりました。私には、僧侶たちの読経がまったく聞き分けられませんでしたが、さて、南無阿弥陀仏と唱えたのかどうか。三〇秒足らずの短い読経を終えると、僧侶たちは来た時と同じ縦列を組んで、さらに先へと進んでゆきました。

この時間帯は、住宅街に車もバイクも入ってきません。僧侶たちが裸足でやって来て、地面に座した住民たちの喜捨を受ける。その間、僧侶たちも住民たちも、一切無言です。朝の静けさの中で、無言劇でも見ているような気分になってきました。托鉢の最後に僧侶たちが唱えるお経の独特の節回しの声が、この世のものと思われぬように低く聞こえてきました。

この僧列は、私が後をついて行ったこの一角での二〇分ほどの間に、六カ所で住民たちの喜捨を受けました。最初に見た喜捨の場に男性が一人いましたが、残りの五カ所はすべて女性ばかり

でした。後になって、ラオスの人に、喜捨をするのはなぜ女性が多いのかと尋ねたら、しばらく考えてから、「女性の方が、仏教への信仰心が厚いから……」という答えでしたが、どうなのでしょう。*

その後、何度か早起きをして、ビエンチャンの托鉢を見に行きました。そして、なんのことはない、毎朝六時頃、我がアパートの前を七人の托鉢僧が通っていることを知りました。後をついて行ったら、幾カ所かで住民たちの喜捨を受けた僧たちは、最後はワット・シーサケット寺院の門に入って行きました。

さらに別の日、私がビエンチャンの銀座通りと名付けたセーターティラート通りでは、三〇人ほどの托鉢僧の列に出会いました。場所は、ワット・オントゥー寺院の門前でした。まだうす暗い門前に、幾人かの住民が喜捨の用意をして座り込んでいました。私が通りの反対側の歩道から見ていると、西の方から橙色の僧衣を着た一団が近づいてきました。そして、先頭の位の高い僧侶から順に、住民からの托鉢を受けると、通りを渡ってワット・オントゥー寺院の向かいにあるワット・ハーイソーク寺院の門前に並んでゆきました。最後に、もっとも若輩の僧侶が托鉢を受け終えて列の最後尾に加わると同時に、読経が始まりました。三〇人を超える僧侶が唱えるお経の声が通りに響き渡ると、通りの向かい側に座した住民たちは恭しく頭(こうべ)を垂れて合掌し、読経に聞き入る様子でした。短い読経を終えると、僧侶たちは、ワット・ハーイソーク寺院の門の中に消えてゆきました。

住宅街とは違い、ここはビエンチャンの中心の大通りですから、人々の日常生活はすでに始まっ

ワット・ハーイソーク寺院の門前で読経する托鉢僧

*上座部仏教の教義では、女性は出家(しゅっけ)できないので、托鉢僧への喜捨で功徳を積んでいると知りました。

ています。托鉢が行われている間も、車やバイクがセーターティラート通りを遠慮会釈なく通り過ぎてゆきました。僧侶たちがワット・ハーイソーク寺院に入ってしまってからしばらくして、通りから門の内側を覗いてみたら、若い僧侶たちが数人で長箒を手にして境内を浄めておりました。

このように、ラオスでは、托鉢が日常生活の中に溶け込んでいます。ただし、毎日、喜捨をする人の数は、ほんの一握りです。大方の人々は、一年になんべんか巡ってくる大きな仏事の折か、家族に何か特別なことがあった時に喜捨をするくらいのようです。それでも、おそらく数百年前から続いてきたのであろう同じ光景が、今の日常にしっかりと残っています。托鉢の僧侶たちも、喜捨する住民の人たちも、一年三六五日、毎日、同じ時間に、同じ場所で、同じ所作を繰り返しているのです。この同じ所作が、幾世代に渡って、何百年続いてきたのか、これから先いつまで続くのか、そんなことを考えていると、仏教という一宗教を超えて、人間の尊厳ということを思わずにはいられません。

私のようなよそ者は、托鉢僧たちと喜捨する住民たちとの無言の交歓を、通りの反対側の歩道から眺めるほかありません。そうすることで、昔から変わらぬ仏事を毎日繰り返すラオスの人々の姿に、遠くから敬意を表する、ということでよいのでしょう。

コラム　怒涛の水かけ祭り

「水かけ祭り」と聞くと、タイでソンクラーンと呼ばれている祭りを思い出す人が多いことでしょう。しかし、「水かけ祭り」では、ラオスも負けてはいません。毎年、四月一四日から一六日まで、ラオス全土で盛大な水かけが行われます。

通りに面した自宅の前の歩道に陣取った人々が、地面に置いた大きなビニール・プールに水をたっぷりと溜め、あるいは、蛇口につないだ長いホースを外に持ちだして、家の前を通る自動車、バイク、トゥクトゥクに乗る人々、さらには歩行者に向かって、水を浴びせかけます。通りかかる相手が外国人観光客であろうと、容赦はしません。一方で、ピックアップ・トラックに乗った人々の側も負けてはいません。用意周到にも、トラックの荷台に大きなビニール・シートを広げて、〝走るプール〟を造って水を溜め、通りをゆっくりと走りながら、バケツに汲んだ水を、道端の人々に浴びせ返しています。ピックアップ・トラックの荷台という高所に陣取った彼らの方が、歩道に陣取る人々よりは有利と言えるかもしれません。

私は、ラオスに到着してしばらくして、道路を走るピックアップ・トラックの数の多さに驚いていました。

その後、水かけ祭りを体験したのですが、ひょっとすると、ラオスの人たちは、一年に一度の水かけ祭りを存分に楽しむ目的で、この車を購入しているのかもしれません（それは、ないか）。何も知らずにこの合戦に巻き込まれてしまった観光客は、観念するしかありません。怒るなんて、野暮の骨頂です。でも、心配はご無用。このころ、ラオスの日中の気温は四〇度を超えることが

バケツやホース、水鉄砲で、通りかかるすべての車やバイクに水をかける町民たち。ピックアップ・トラックも走るプールと化し、反撃する。

ざらです。水をかけられたら、あなたはきっとその水が天の配材だと感ずることでしょう。なにもかもすべて水に流す、ということなのでしょうか。なんとも、愉快な祭なんです。

さて水かけ祭りの期間は、ピーマイ・ラーオといって、ラオスのお正月です。水かけの大騒ぎとは別の顔として、人々は自宅の大掃除をして、玄関を花で飾り付けます。そして、近所にある寺院に出かけて境内の掃除をします。その後、寺が本堂から境内に遷して安置している仏像に灌水をします。私も、職場の局長夫妻にお寺に連れて行ってもらいましたが、境内の仏像に灌水しながら、日本のお寺の花祭を思い出していました。子どもの頃、毎年四月八日には、近くのお寺に行って、花で飾られたお釈迦様の像に柄杓で掬った甘茶をかけたものでした。

しかし水かけ祭りは、ラオスと、西隣のタイばかりでなく、北隣の中国の雲南省でも、タイ族の人々によって催されています。どうも、水かけ祭りの起源は、仏教ではなく、雲南省あたりに民族の故郷を持つらしいタイ族の古い風習にあるようです。ラオスの人口の過半数を占めるラーオ族も、ラオ・タイ語族の仲間です。

こんなお祭り、あなたも参加してみたいと思いませんか? 同じ水なら、かけなきゃソンソン!

ラオスには、トゥクトゥクがよく似合う

この見出しは、太宰治の『富岳百景』のよく知られた一節、「富士には、月見草がよく似合う」、を真似ました。

私も住民たちにならって、近くの寺の境内に安置された仏像に水をそそいだ。

ビエンチャンにいた頃に読んだ英字紙の『ビエンチャン・タイムズ』に、二〇一七年六月時点でのビエンチャンを走るトゥクトゥクの数が三四〇台だと載っていました。これが多いのか少ないのかは何とも言えませんが、少なくともビエンチャンの中心部を歩いている限り、主要な寺院を含む観光スポットや大通りの角に客待ち停車するトゥクトゥク、そして、空（から）で走っているトゥクトゥクがいつでも掴まえられるので、何分も待つことはほとんどありません。

さて、トゥクトゥク、三輪自動車ですね。三輪自動車といえば、私のような団塊世代は、今は亡きダイハツのミゼットを思い出します。半世紀以上も昔、私が電車通学で東京タワーの近くの中学に通っていた頃、東京プリンス・ホテルの前の日比谷通りを走ってきたミゼットが東京タワー方向に左折しようとして、そのまま横転してしまいました。運転席にドアのついていないミゼットでした。私が驚いたのは、横転したことよりも、その後です。横転した車の中で横倒しになっていた運転手が、左足を地面につけて踏ん張り、車の体勢を元に戻したのです。そして、何事もなかったかのごとくに、走り去っていったのでした。まだ、東京タワーが竣工（一九五八年）して間もない頃のことでした。なんとものどかな、よい時代でした。

ラオスを走る三輪タクシーも、運転席にドアがついていないタイプなので、ビエンチャンに来た最初の頃、昔を思い出しながら、これはダイハツのミゼットを改造したものなのだろうか、と思ったものでした。しかし、どうやら、オートバイを改造して造っているようです。運転席にドアがないばかりでなく、車の構造の全体が、前後左右スカスカです。さすがに酷暑の国なので、頼りないながらも、天井だけはあります。また、雨が降ったりすると、ビニールの幌くらいは、

ラーンサーン通りの心優しいとトゥクトゥク運転手。毎朝、通勤途上で、私に「サバイディー」と声をかけてきた。

掛けてくれます。私は、このトゥクトゥクに乗るのが好きで、市内のちょっとした移動に利用していました。

さて、ビエンチャン市内では、町の中心地のナンプ広場や主要なお寺、パトゥーサイ、バス・ターミナル、ホテルの前などに、常時、幾台ものトゥクトゥクが待機しています。そして、外国人が歩いてくると、「トゥクトゥク！」と、声をかけてきます。必要なければ、ちょっと苦笑いでもしながら、手を横に振れば、相手もにっこりと笑って、すぐに諦めてくれます。

職場の近くのタラート・サオで乗ったトゥクトゥクの運ちゃんは、その後、通勤途上でしょっちゅう会うのですが、いつも笑顔で、「サバイディー！」と挨拶の言葉をかけてくれました。その後の一年間、一度も利用していなかったにもかかわらず、です。

ダイハツのミゼットは、日本の経済成長が始まる昭和三〇年代に走っていた車でした。映画『ALWAYS 三丁目の夕日』に出てくる、緩やかな時間が流れていた時代ですね。この映画の中で使われた車、集団就職で上京した主人公が働く、町の小さな自動車修理工場の家が所有するオンボロ自動車も、ミゼットだったそうです。

「ラオスには、トゥクトゥクがよく似合う」。ラオスには、まだ、そういう緩やかな時間が流れています。

ラーンサーン通りで、警官とトゥクトゥクと奥に見えるパトゥーサイと。三題話の落語ができないか。

やすらぎのラオス織維博物館

昔から、ラオス各地の村々で、絹や綿の織物作りが盛んに行われてきました。その技は、母親から娘へと代々受け継がれ、伝統的な巻きスカートの〝シン〟をはじめとする衣類やスカーフ、壁掛けなどの布製インテリア、小物類などが作られてきました。ビエンチャンの市内には、今でも、アンティークなものから現代的な柄の商品まで、また式服となる高価なシルクの品から普段着の綿製品まで、織物商品を売る多くの店があります。

そういう織物商品の販売店の中で〝カンチャナ〟は絹の高級織物店として知られています。店は、ラーオ・プラザ・ホテルからサームセンタイ通りをラーンサーン通りに向かって歩いて、最初の角を渡った左手にあります。そこからさらに一〇〇メートル足らず先に、道を塞ぐようにして、タート・ダムが建っています。カンチャナの店は、大きくない平屋の店舗で、品数も決して多くはありません。しかし、店に入って商品をじっくりと見ていると、店のオーナーの奥さんが、「奥もご覧になりますか?」と言って、右手奥の扉を開けて、奥の部屋に飾られた絹製品も見せてくれます。その中には、店のご主人が愛知県の有松まで行って、有松絞り(しぼ)を学んで作った織物も掛けられています。

私は、ラオスから帰国した二〇一八年の夏、有松を初めて訪れて、町を散策してみました。重要伝統的建造物群保存地区に登録された有松の町並みは、旧東海道に沿って、瓦葺の屋根の木造厨子(つし)二階にうだつが上がる家屋が櫛比(しっぴ)していました。久しぶりに、日本家屋の町並みの美しさを

高床式建物のラオス織維博物館の内部。天井、梁、壁、床、柱から展示品の収納ケースに至るまで、すべてが木造り。

堪能して、有松絞り染めの暖簾(のれん)を買いました。

さて、〝カンチャナ〟の女性ご主人のお姉さんにあたる人が運営しているのが、「ラオス繊維博物館」です。お店からトゥクトゥクに乗って、北に向かって一五分くらいの住宅街にあります。道が分かりずらいので、カンチャナの店で「ラオス繊維博物館」に行きたいと言うと、ラオス語と英語で表記した地図をもらえるので、それをトゥクトゥクの運ちゃんに見せれば問題なしです。

博物館は、ビエンチャンの中心部を少し外れた、雑然とした住宅地域を通る道に面しています。ところが、博物館の門から一歩、敷地内に入ると、そこには、周囲の建てこんだ住宅地域とは別の世界が広がっています。樹木の緑の濃い、ゆったりとした空間に、木造の建物が幾棟か散らばって建っています。その中で、門から入って最初の左手にある高床式の建物が、博物館の主棟になります。まことにこじんまりとした博物館です。案内は、通常、カンチャナの女性店主のお姉さんにあたる老婦人が英語でしてくれます。

まず案内されるのが、高床式建物の床下です。そこに何台かの織機が据えられていて、職人が織物を織る様子を見学できます。さらに、「織機を、ご自分で体験してみますか?」ということで、見学者も、老婦人の丁寧な指導の下、機織りの実体験ができます。

続いて、木造の階段を登って建物の中に入ると、ラオスの各地から集めた織物や生活用具などが展示されていて、女性が説明をしてくれます。主な展示品は、少数民族の日常生活用具なので、ルアンパバーンの国立博物館(かつての王宮)に展示されているようなきらびやかなものはまったくありません。そんな中で、モン族の女性が穿(は)くフレア・スカートの美しさが目立ちます。

高床式建物の床下に据えられた織機で、機織り体験。

その後、歩いて別の平屋の木造棟に行くと、藍染の工程を見学することができます。さらに、また別の建物に移ると、お茶をふるまわれます。藍色をしたお茶で、バタフライ・ピーというマメ科の植物の、藍色をした花から作るのだそうです。ライムが添えてあって、それを絞ってお茶にたらすと藍色が薄紫色に変化します。いろいろ、あるんですね。

なお、私が二〇一八年一月に帰国後、コンビニのローソンで、「バタフライ・ピー・ティーの水ゼリー」という商品が発売になりました。早速、近くのローソンへ行って購入し、食べてみました。少し酸味のある甘いゼリーです。税込み価格、一八〇円也。ご興味のある方は、ローソンへ行ってみてください*。ただし、ローソンの商品の原材料となるバタフライ・ピーは、どうやらラオス産ではなく、お隣のタイ産のようですが。

お茶を終えてお店の棟に移ると、入り口の上に、「ラオス伝統文化日本館」と英語で書いてあります。日本政府の援助で建てられた棟だそうで、カンチャナがラオスの伝統文化の保存に努めていることを支援しているようです。こういう援助を日本がしていることを知ると、ちょっと嬉しくなります。有松絞り、バタフライ・ピー・ティー、日本館と、カンチャナだけで三つのものに日本が関わっていました。

ビエンチャンの夢は夜開く

ビエンチャンの南端、タイ国との国境を、西から東に流れるメコン川。その土手道のドーンチャ

モン族の女性が穿く民族衣装のフレア・スカートの鮮やかな色と模様の取り合わせ。

*二〇二〇年一〇月、近くのローソンに行ったら、この水ゼリーはもうなくなっていました。残念！

ン通りと、一本北側を通るファーグム通りに挟まれた公園広場で、毎日夕方になると、たくさんの朱色のテントが夢の花のように開きます。ナイト・マーケットの始まりです。

春分の日を過ぎれば、午後六時を回ってもまだ陽はメコン川の彼方に落ちませんから、明るいうちからナイト・マーケットが始まります。マーケットのメインの入り口に、なぜか日本の神社の鳥居と、鳥居の中央の侍姿にPIZZAと大書し、さらに「営業中」「刺身」の漢字が入った赤ちょうちんを吊り下げた店があります。ところが、実際に売っているのは、鶏のから揚げ。日本人からみると、なんともちぐはぐですが、ラオス人にとっては、なんとなくオシャレ、ということなのでしょうか。

びっしりと隙間なく並ぶ店の数を数えたことはありませんが、おそらく、百数十店はあるでしょう。あらゆる服飾品、履物、サングラス、安物時計、CD、自撮り棒、安価な装飾品などの日用品を中心にして、観光客向けのシン、飾り提灯、ラオス土産となりそうな絵や木彫り品など、なんでもありの様相を呈しています。

ナイト・マーケットにやって来る人は、「地元のラオス人」対「観光客」が、目分量で八対二といったところでしょうか。ビエンチャン市内でもっとも多くの人が集まる場所と言っていいでしょう。家族連れやカップル、老若男女のグループに交じって、中には、朱色の衣を着た僧侶や、制服のシンを着た女子高校生なども、店を覗きこんでいます。テントの上に、手書きで「五〇〇〇キープ（約七〇円）」とか、「二万五〇〇〇キープ（約三四〇円）」などという数字が大書してあります。日用品のバーゲンセールが毎夜開かれている、とでも考えるとよいでしょう。とにかく安さが売りの夜市です。

ここに出ているのは、商品販売の店ばかりではありません。ファーグム通りや土手道のドーンチャン通りに沿って、様々な食べ物や飲み物を売る屋台がオープンします。さらには、木組みで地面から垂直に建てた壁に、太いヘチマのような形のたくさんの風船を行儀よく並べたのを吹き矢で破裂させる、射的のようなゲームも出ています。面白いのは、身長測定器です。日本の健康診断で使用するような簡易な身長測定器ですが、木製で、公園の地面に直接、置いてあります。一〇〇〇キープ（約一〇円）払って、木製の柱を背にして測ってもらいます。ラオスにおける人々の健康診断の実情を聞き損ねましたが、こういう商売があるということは、年一回の健康診断で身長、体重を測定する、という制度が学校や職場ではまだ定着していないのかもしれません。まさか、外国人観光客相手のお遊びではないのでしょうから。

ここのナイト・マーケットでは、上質な商品は望むべくもありませんが、冷かし気分で歩いてみれば、観光客もちょっとした小物を買いたくなるかもしれません。外国からの観光客でも、女性はここで木綿やシルクのダボダボのパンツを買ったりして、昼の町を歩いています。ナイト・マーケットもまた、ビエンチャンの持つ多様な顔の一つなのです。

我が家でも、部屋の電球を覆う紙製の飾り提灯のようなものを何色か買いました。帰国してから時々、家に人を呼んで飲食をする際、余興に飾り提灯をつけて、普段と違った灯りを楽しんでいます。藤圭子ではありませんが、なにしろ夢は夜開くんですから。

毎夜、メコン川沿いの土手下の公園に花開く夜市。こちらは、ルアンパバーンの夜市と違い、主にビエンチャン市民のための品揃え。

数少はないが、観光客向けの商品を売る店も出る。

コラム　日本でサマー・タイム、なんのこっちゃ？

二〇一七年三月のある日、ビエンチャン市内でハーフ・マラソン大会が開催されました。職場の同僚の若者たちを誘って参加しました。

二〇・一キロ、一〇・五キロ、五キロの三コースがあり、私は、一〇・五キロのコースに、職場の人がいるでしょうが、その辺はご愛敬ということで。なぜ二〇キロと一〇キロに小数点以下があるのかと思う人がいるでしょうが、その辺はご愛敬ということで。全コースがタート・ルアン大仏塔のある広場の発着なのですが、おそらく、大会事務局がコースを組んでみたら、二〇キロ、一〇キロにピタリとはゆかなかったんでしょう。しかしそう考えると、公示された各コースのそもそもの距離も、その正確さは眉唾ものです。しかし、ここは日本ではないのだから固いことは言わず、数十メートルの誤差には目をつぶりましょう。ちなみに、ラオス人がこういう時にいう言葉が、「ボーペンニャン！」です。日本語に直せば、「問題なし！」。

当日、私は朝四時半に起床して、まだ暗い中を、迎えに来てくれた職場の若者の車で集合場所のタート・ルアン大仏塔へ行きました。まだ夜の闇の広場には、すでにたくさんの参加者が集合しており、さらに続々と集まってきました。出発予定時刻は、五時三〇分です。

十・五キロのコースの参加者数は、約九〇〇人とのこと。また、ハーフ・マラソンは、アフリカ人や西洋人の姿が目につきました。スタート地点に移動して待つうちに、ハーフ・マラソンがスタートしたようでした。近くに日本人の人々がいて、話しかけたら、カンボジアとシンガポールから参加とのこと。〝国際〟的なんだなぁ、と思っていたら、突然にラオス語のカウント・ダウンが始まって、それから急にみなが駆けだしました。慌てて私も走りだしながら、時計を見たら、まだ五時二三分。嗚呼！　距離も、時間も、「ボーペンニャン！」。

　コースは、ラーンサーン通りを南下し、サームセンタイ通りに右折して西に向かい、ファーグム王の銅像を左折して、スパーヌウォン通り、続いてセーターティラート通りをひたすら東行して、再びラーンサーン通りに入り、そこを北上して、タート・ルアン大仏塔の広場でフィニッシュです。第一章で紹介した、ビエンチャンの町の中心部を一周するコースです。

　スタートしてパトゥーサイの横を走るころは、ライトアップされたパトゥーサイが暁闇（ぎょうあん）に浮かび上がっていました。暗い大通りを、間隔を置いて立っている街燈の灯りと、一緒に走る周囲の人々を頼りに走っていきました。コースの途中に給水所があり、係の人たちが水を提供してくれました。また、早朝にもかかわらず、応援の人々が歩道に出てきて声援を送ってくれたのは、心強いかぎりでした。折り返し地点のファーグム王の像を過ぎる頃には、空がほの明るくなっていました。そして、セーターティラート通りのワット・オントゥー寺院の辺りを走っている時、托鉢僧たちの一団に出会いました。こんな日にも托鉢は欠かさないことを目の当たりにして、なんだか元気が湧いてきました。

　コースの最後のラーンサーン通りに入ると、ライト・ブルーのシャツを着た、五キロのコースの参加者たちが両側六車線の道いっぱいに広がって、仲間でおしゃべりを楽しんだりしながら歩いていました。五キロのコースは、タート・ルアンから、ラーンサーン通りを往復するようでした。私は、そんな彼らをゆっくりと追い抜いて、タート・ルアン大仏塔の広場にゴールしました。若い同僚たちを探したら、彼らはすでにゴールしていたので、みなで完走を祝しました。

三月といえど、昼は三五度を超えるビエンチャン。暑さ対策は、時刻の制度は変えず、レースのスタートを早朝五時半に早めるだけ。

おまけの話ですが、一〇・五キロのコースの六〇歳以上男子の部で、私は四着となりました。一時間一七分四〇秒でしたから、東京シティ・マラソンであったらば、下位グループの数千人の一人に過ぎなかったことでしょう。なお、掲示板の全入賞者の年齢を見たら、少なくとも、高齢ということでは、私が〝一着〟でした。なにはともあれ、入賞のトロフィーももらい、爽快な早朝のよい思い出が作れました。

さて、もう一つ、おまけの話です。二〇一八年の一月に帰国した年の夏、東京オリンピック時にサマー・タイムの導入を政府が検討、という記事を知って、私はビックリ仰天しました。猛暑の夏に行われる陸上競技の暑さ対策として、東京オリンピック委員会が総理大臣に要望を出し、総理大臣が導入の検討を関係省庁に指示した、というのです。そもそも、日本の猛暑の夏に開催するということの理不尽さはひとまず措くとして、たかだか三週間足らず東京周辺で開催するに過ぎないオリンピック競技のために、極めて大きな社会的負荷のかかるサマー・タイムを日本全国に導入するとは、どのような頓珍漢な頭の構造をしていたら、考えられるのでしょう。ましてや、オリンピックを契機にサマータイムが実現すれば、大会のレガシーになる、というような発言を聞いて、私は胸糞が悪くなってきました。この発言は、組織の長たる者が組織を私物化しようとするような内容以外の何ものでもなく、そこには、公のためという精神のかけらも感じられません。

さすがの政府も、この愚策は断念せざるを得ませんでした。人々の日々の生活に急変を強いるような制度、情報技術システムに過大な負荷を強いる制度を、しかるべき立場にある人が、軽々

走り終えてタート・ルアン大仏塔の広場にゴール。さて、職務も忘れず、ラオス観光のＰＲ。

しく口にしないで欲しいものです。また、そういう立場の人に企画・立案する実務者も、もう少し賢くあって欲しいものです。おのれのボスの名誉心を満足させようと、今や日本の行政府の流行病になっているらしい〝忖度〟をしたのかもしれませんが、間違ってこんな愚策が実現してしまったら、どうするのですか。私は、一年前のビエンチャンの早朝の走りを思い出しながら、「マラソンは、五時でも五時半でも、スタートの時間を早めれば済むんだ、ラオス人の爪の垢でも煎じて飲めよ」、と思ったものでした。

東京オリンピックの開催を一年足らず先に控えた二〇一九年一〇月、国際オリンピック委員会（IOC）が、マラソンと競歩のコースを、酷暑の東京を避けて札幌にしたいと提案してきました。これに対して小池百合子都知事は、「ラオス人の爪の垢」を煎じて飲んだとは思いませんが、「朝五時のスタート」を逆提案しました。アメリカの大手テレビ局からの独占放映権収入のために七、八月の開催に固執すると言うIOC側と、オリンピック候補地の立候補に際して、開催時期の七、八月の東京は「晴れる日が多く、かつ温暖であるため、アスリートが最高の状態でパフォーマンスを発揮できる理想的な気候である」とアピールした日本側と、どちらも現代のオリンピックが抱え込んだえげつなさを思わせます。

そしてさらに一転、コロナ禍で、「それどころではなくなった」東京オリンピックですが、さて、どうなるのでしょうか。

第三章

何でこうなるの？　ビエンチャン郊外

仕事を終えたゾウと少年。少年にとっては、ゲーム機もiPhoneも無縁の世界。

クラクションが聞えない町

ビエンチャンの町の中心部は、前節でご覧いただいた通りです。この節では、中心部から少し離れた場所の見どころを紹介します。

ビエンチャンの中心部から、車で二〇分も走って脇道に入り込むと、水田や畑が広がっています。こういったところも、日本では東京に住む私のような人間がホッとする点です。東京では、車で東西南北どちらに向かおうと、一時間は人家の切れることがありません。秩序美のまったく感じられない人工構築物に溢れた町並みを、車窓から長時間眺めつづけていると、人間の心もささくれ立ってくることでしょう。

この文章を書いている今日二〇一八年の一二月三日、前年の六月に東名高速道路で起きた、あおり運転による死亡事故の裁判が始まりました。被告の青年は、パーキング・エリアの駐車場で、自分の車が道路を塞ぐように枠外駐車していたことを家族旅行の父親から注意されました。それに激高した彼は、高速道路上で家族の車を執拗にあおったうえ、最後は追い越し車線上に無理やり停車させました。そして、車のドアを開けた父親の胸ぐらを掴んで、恐怖におののく家族の前で暴言を連発しました。そこへ、後ろからトラックが追突し、被害者家族の内、父親と母親が死亡したというものです。被告は、あおり運転の常習者だったという報道もありました。

高速道路、自動車、そして、他人に対する不寛容。スピードと効率を追い求めた人間の歴史が、経済的な豊かさを増大したことは間違いありません。しかし、こういうやりきれない事件が起きるたびに、年月をかけて人間が得たものの代わりに失ったものの大きさを思わざるを得ません。

ビエンチャンに来た外国人が、町で驚くことがあります。町の大通りは、朝と夕方の通勤、退勤の交通渋滞がひどい状況です。なにしろ、鉄道がまったくなく、路線バスの本数も利用者数も限られていて、ビエンチャンの町で働く大多数の人が、郊外の自宅から勤務地まで自家用車か自家用バイクを使います。私は、町の中心地にあるアパート住まいでしたから、通勤は片道十分ほどの歩きでした。通勤で歩いている間、通りで出会う歩行者は、早起きの観光客か朱色の衣の僧侶くらいでした。

で、驚くというのは、朝夕の通勤ラッシュの交通渋滞そのものではありません。どれほどに渋滞していても、車のクラクションの音がまったくしないのです。自動車の運転手の腕前は様々です。中には、私のような自動車を運転しない人間から見ても下手な運転をして、渋滞を加重する原因を作っている人もいます。それでも、後ろの車の人はクラクションを鳴らすことはなく、前の車が動き出すのをひたすら待ち続けます。ある日ラオス人の同僚の車に乗せてもらったとき、クラクションの音に出会いました。私が、勝ち誇ったようにして、「ホーン！」と言ったら、すぐに同僚の返事が返ってきました。「あの車を運転しているのは、ビル建設の工事にきている作業員の〇〇国の人」。仕事でも遊びでもよいので、ラオス人と何日間かを共にすると、ラオス人が自動車のクラクションを鳴らさない、ということが納得できると思います。彼らの心は、まださくれ立っていないんです。

それでは、ビエンチャンの郊外にある見どころを紹介します。

管理不在の国境の橋

ラオスはインドシナ半島で唯一の内陸国で、国土は一寸たりとも海に面していません。ラオスと国境を接する国は、東から時計回りに、ベトナム、カンボジア、タイ、ミヤンマー、そして中国の五カ国です。中でも、タイとの境には、メコン川を跨いで、上流から下流まで四本の橋が架かり、「ラオス・タイ友好橋」と名付けられています。

ラオスとタイとの関係は、長年に渡る対立・争闘の歴史でした。一九世紀のアヌ王のシャムへの反攻については、すでに触れました。近くは、インドシナ戦争（一九四六～一九七五年）の時、タイは、ラオスを激しく空爆したアメリカ空軍に基地を提供していました。一九七五年のラオス人民民主共和国建国後も、ラオス内戦中に王党派の側で戦ったモン族の戦士を始めとするラオス人がメコン川を越えてタイに亡命し、両国間には対立が続きました。

しかし、一九九四年に、最初の橋がビエンチャンの郊外からタイのノーンカーイまで架けられ、その橋を「ラオス・タイ第一友好橋」と名付けた時、両国は長い歴史のわだかまりを解いたのでしょうね。両国を隔てていたメコン川が、今度は両国を繋ぐこととなったのです。今では、アセアン構成国のメンバーとしてはもちろん、ラオスに流入するタイの文化、タイが購入するラオスの水力発電など、両国の間には、様々な面での交流が定着しています。勤務先の役所で私の同僚であったラオス人のコーラ君も、学生時代にタイに留学していました。

二〇一七年の秋のある日、私は日本からビエンチャンを訪ねてくれた友人夫妻をこの橋に案内

友好橋の入り口で受け取った紙片。「友好橋国際出入国管理」、「入場料：三〇〇〇キープ」と書いてある。

しました。私も妻も、初めての訪問でした。タクシーを借り切って、セーターティラート通りを東に走り、タードゥア通りに入って約二五キロ。通りの頭上に、通りと交差するように架かっていた鉄筋の陸橋の下でタクシーを降りました。通りと橋脚の間に、金網の壁が張り巡らされていて、一カ所だけ、金網の扉が開いていていました。

タクシーの運転手に案内されて、金網の扉をくぐって金網の中のスペースに入ると、すぐの場所に平屋のオンボロ小屋が一軒建っていました。覗いてみると、中に、作業着のようなものを着た男性が二人、所在なさげに座っていました。何をしたらいいのか私はとまどったのですが、運転手に促されて、一人当たり三〇〇〇キープ（約四〇円）を支払い、入場券のような紙切れを五人分受け取りました。小屋のどこを探しても、「出国管理」とも書いてないし、「料金」も書いてありません。運転手に促されなければ、黙って通り過ぎてしまったかもしれません。

そこから、土手下の道を歩くこと数十メートル、土手上に登る階段がありました。階段を登ると急に視界が広がって、国境の橋に続く道に出ました。橋に続く道とその先の橋は、左右の両端が歩道になっており、真ん中には車道が片側一車線で走っていました。タイに向かって左側が、ラオスからタイに向かう車線、右側が、タイからラオスにやって来る車線です。そしてもう一つ、中央分離帯に相当する場所に、幅が狭い線路が走っているのです。実は、これがラオスで唯一の鉄道です。この橋に向かうと、後ろの方にラオスの出入国ポイントがあります。そこに、ターナレーンという名の、ラオスで唯一の鉄道駅があるんです。ターナレーン駅から、目の前の友好橋を渡って、タイのノーンカーイ駅までわずかに約六キロ、むろん途中に駅などありません。この

友好橋の真ん中、ラオス語で「進入禁止」と書かれた立て看板の前で。看板を除けば、まるで、ＥＵの国境みたい。

うち、ラオス国内を通るのは、ターナレーン駅から友好橋の真ん中辺までなので、一キロほどです。

なお、ラオスの鉄道について言えば、現在、ラオス・中国高速鉄道の建設工事が進行中です。ラオス、中国両政府による国家プロジェクトで、ルアンナムター県の最北端の国境の町・ボーテンから、世界遺産の町・ルアンパバーンを通って首都ビエンチャンまで、全長四〇〇キロ強の鉄道です。二〇二一年一二月二日の建国四〇周年記念日の開業を目指しています。中国にとっては、政府が盛んに提唱する「一帯一路」事業の一環です。現在の、わずかに約六キロの鉄道から、一挙に中国の世界戦略に組み込まれる鉄道へと飛躍します。ラオスも、否応なく世知辛い競争の世界につき進んでいくということなのでしょうか。

さて、目の前の橋に戻ります。狭軌の線路ですが、列車は朝と夕の二本しか走らないので、昼間は、線路が白々しく伸びているばかりです。我々は、タイに向かって左側の歩道をゆっくりと歩いて行きました。ラオス側のメコン川の手前の土地は草原になっていて、放牧された牛たちがノンビリと草を食んでいました。また、ラオス最大の企業であるビール醸造会社のビア・ラーオの広告看板がやけにめだっていました。そしてメコン川の上までくると、茶色く濁った水が静かに流れていました。さらに橋の真ん中辺までくると、歩道を遮るようにして腰高ほどの鉄看板が立っていて、ラオス語で、「進行禁止」と書いてありました。数十メートル先にも、同じ形の看板が立っているので、タイ側からラオスに向かって歩いてくる人に、タイ語で「進行禁止」と書いてあるのでしょう。

物理的には、立て看板の横を簡単に通り抜けることもできたのですが、そんな子どもじみたいたずらをする理由もなく、ここで終わりだということで、みなで記念写真を撮って、歩道を引き返しました。しかし後になって考えてみると、我々は、パスポートも持たずに、出入国管理を通ることもなく、国境橋の真ん中まで行くことができたのでした。あの時、もしも看板を無視してタイ側に進んでいったら、ひょっとしてタイに入国できてしまったのだろうか、という疑問が湧いてきました。さすがにタイの出入国はこんなにいい加減ではないと思うのですが。そこで、オンボロ小屋で三〇〇〇バーツの支払いと引き換えにもらった入場券のような紙切れをポケットから出して、そこに書いてある文字を読み返してみました。すると、その入場券と勘違いしたものには、なんと、「ラオス人民民主共和国」、「友好橋国際出入国管理」と書いてあったのでした！

我々は、パスポートなしに、ラオス出国の手続きをしたということなのでしょうか？　ラオス政府の「国境」に対するこの無頓着ぶりは、どこからきているのでしょう。一九七五年の新国家の建国後、王党派の側で戦った多くの人々が、メコン川を渡ってタイに逃れたのだそうです。その政治的亡命者の中には、新国家への侵攻を試みる人々がいて、ラオスとタイとの間には、一九九〇年代に入るまで緊張が続きました。今でこそ、両国の関係は政治・経済・文化のあらゆる面で緊密な関係が出来上がっています。それでも、国境は、国境です。この、近代国家が人工的に造り上げた「国境」の概念を無視するような有様がどこからきているのか、私には想像がつきませんが、なんだか、小気味よいではありませんか。

なお、帰路にはオンボロ小屋の前を黙って〝入国〟しましたが、小屋の中にいた二人の男性（出入国管理官？）は、すでに〝入場料金〟を徴収した人間には何の関心も示しませんでした。どこかの大国の大統領（二〇二〇年現在）に、この国境管理の状況を見せたら、何と言うのでしょうか？彼は、ラオスなどという小国には、おそらく何の関心も抱かないのではないでしょうか。

帰路、橋上からメコン川を眺め下ろしたら、一〇月六日に開催されるボート・レースに向けて練習中の五五人乗りボートが、流れに乗って通り過ぎていきました。高速鉄道よりも手漕ぎの木製ボートがラオスの風景にはふさわしいと思ってしまうのは、よそ者である私の手前勝手なのでしょう。

奇妙なり、ブッダ・パーク

ワット・シームアン寺院のことを、私は、「どこぞの遊園地かとみまごうばかりの佇まい」、と書きました。しかし、ワット・シェンクアン寺院は、ワット・シームワンをはるかに上回る、奇妙奇天烈な空間です。ラオス語で、ワット・シェンクアンという正式な寺の称号を持っているのですが、ラオス情報文化観光省の公式ホームページでも、「ブッダ・パークの名でよく知られる」と、紹介されています。そうです、お寺というよりも、人目を驚かすテーマ・パークのような場所なのです。

友好橋からさらに東南の方角に五キロほどの場所に、それはあります。一九五八年に、れっきとした仏教の僧侶、ルアンプー・ブンルア・スリラットが建造しました。ただしその僧侶は、一九七五年の新国家の誕生時にタイに亡命してしまいました。そして、対岸のノーンカーイに同種のお寺を建造したのだそうですが、私はそこにはまだ行っていません。

お寺の境内、というよりも、公園の敷地の中に混とんとして配置された像は、仏教ばかりでなく、ヒンドゥー教に由来するものもあるのだそうです。しかし、このブッダ・パークに鎮座する神、仏の像は、いずれがどなたやら、私にはさっぱりわかりません。仏教、ヒンドゥー教ばかりでなく、ラオスの民間に昔から伝わるピー信仰に由来する精霊もいるのかもしれません。もっとも、マルコ・ポーロが七〇〇年も前に指摘したように、日本にだって、千手観音とか馬頭観音とか、極端な偶像崇拝と呼ぶにふさわしい姿の仏像があります。ブッダ・パークも、一神教のユダヤ教、キリスト教、イスラム教からみたら、異教の偶像に満ち溢れた怪しからん世界、ということになるのでしょう。欧米のキリスト教徒や、イスラム教の世界からやって来る旅行者に、これらの仏像を見た感想を聞いてみたいものです。

私は、干天の砂漠の地で唯一神を創造した人間の純粋を求める力には、つくづく驚かされます。しかし、湿潤の山川草木の世界で、八百万（やおよろず）の神々を創造した人間の豊穣を求める力にも驚かされます。気候というものが、そこに住む人の生活と思考とに与える影響は、途方もないものなのでしょうね。日本列島に

生を受けたアジア人たる私は、厳しい唯一神よりも、八百万の神々の多様さに懐かしさを感じます。だから、この公園に足を踏み入れた時は、そのグロテスクさに辟易とするのですが、しばらく時間が経って一つ一つの仏像を眺めてみると、なにやらおかしみが感じられてきます。仏像というよりも、どう見ても、日本の昔の絵巻に描かれた百鬼夜行（ひゃっきやぎょう）の世界です。

ただ文化の違いなのか、百鬼夜行の絵巻に描かれた鬼や妖怪に私が感ずる〝親近感〟を、ブッダ・パークの奇妙な仏像たちには感じません。何か、自分とは別の世界に住むものへのおかしみを感ずる、というところです。

百万頭のゾウの王国の一頭のゾウ

ラオスの目に見える歴史は、一四世紀半ばのラーンサーン王国の建国に始まります。ラオス語のラーンサーンとは、「百万頭のゾウ」の意味です。当時のラオスは、それほどに豊かな動植物に恵まれた土地であったのでしょうね。もっとも、現在のラオスも、私の目から見たら、充分に豊かな動植物に恵まれていますが。

今の時代にラオスでゾウといえば、毎年二月に、ラオス北部のサイニャブリー県で、数十頭のゾウを集めて催されるゾウ祭りが有名です。また、世界文化遺産の旧都・ルアンパバーンに行くと、ゾウ乗りを体験できるキャンプ地がいくつかあって、いつも観光客で賑わっています。ゾウキャンプの中には、〝プロ〟のゾウ使い（ラオス語でマホートという）から丸一日かけてゾウ乗りの技

唯一神からは遥かに遠い、多神教の偶像崇拝の世界。

法を学ぶと受講者に「修了証明書」を発行するところもあり、日本の旅行会社もツアーを組んでいます。ツアーのうたい文句が、「ゾウ使い免許取得二日間　憧れのゾウ使いになろう！」、だそうです。

しかし、ビエンチャンの近郊にも、ゾウ乗り体験ができる村がいくつかあります。私は二カ所訪れましたが、ビエンチャンの中心部から、北に二五キロほどのタット・ソン村と、北西に同じような距離のタット・ムーンという村です。前者は、ゾウが一〇頭、後者は二頭だけの村でした。いずれの村に行った時も、来ていたのは、私たちだけでした。しかし職場の同僚のラオス人にタット・ソン村のゾウ乗り体験の話をしたら、週末に家族でピクニックを兼ねてその村のゾウ乗りに行ったことがある、とのことでした。ここでは、タット・ムーン村のゾウ乗り体験について、紹介します。

日本からやって来た友人夫婦を、妻と私で案内した時のことです。二十数キロをトゥクトゥクで行くのはしんどいだろう、ということで、普段お願いをしているタクシーで行きました。二〇分ほど走ると、もう人家は途切れて、タクシーはメコン川に沿った畑や林の風景の中を走っていました。さらに二〇分足らずでタット・ムーン村に到着しました。首都の近郊とは思えない、まるきり森の中の村です。

村の入り口で車を降り、運転手に先導されて、村に入って行きました。すると、木組みの簡素な櫓（やぐら）が建っていて、そのそばに、いかにも農民らしい様子の四〇年配の男性と、小学校高学年くらいの少年がいました。運転手がラオス語で四人がゾウ乗りをしたいそうだと伝えると、村人は

ラオスの象と、三人の日本人と、一人のラオス人の少年。

村の奥へと消えてゆきました。やがて一頭のゾウを伴って戻って来て、先ほどの木組みの櫓にゾウを横付けしました。普通は、籠にお客が二人座り、ゾウの頭にゾウ使いが乗って、ゾウを乗りこなします。私たちは四人が乗りたいので、二頭必要だ、と伝えると、村人の答えは、普段は雄雌二頭がいるのだが、今日は雌の一頭しかいない、だが、ゾウの背の籠に三人乗り、ゾウの頭に一人が跨れば、四人が一緒に乗れると主張しました。

やって来たゾウは、なかなか立派な体格をしていましたが、背の籠はどう見ても、大人二人が座って精一杯です。ゾウにしても、一人増えては迷惑な話でしょう。それに、ゾウの頭には、本来、ゾウ使いの村人が乗るはずです。しかし、私の同行者は馬術の経験があるので、馬もゾウも同じ四足の哺乳類、とずいぶん乱暴なことを言って、ゾウの頭に跨りました。そこで、私はゾウに乗るのを諦めて、写真班員となりました。ゾウの頭に跨った同行者は、さすがに最初のうちは、危なっかし気に見えましたが、すぐに慣れたようで、まるでゾウ使いのようにふるまい始めました。人馬いったいならぬ、人ゾウいったい、です。

そして、村内の林の中を歩いた後、土手を下って、村内を流れる渓流に入り込んでゆきました。もっとも深いところでは、水の流れがゾウの腹を浸しそうになりました。ゾウも慣れたもので、鼻で渓流の水を汲み上げて口に持って行ったりしながら、渓流をゆっくりと徒渉しました。その間、本来はゾウ使いのはずの村人は、後に付いてくるでもなく、我々を放りっぱなし。同行者に、ゾウ使いの「修了証明書」でも発行してもらいたいところでした。

なお、写真に写っているゾウの背の籠の後ろに乗っている少年は、ゾウ使いの村人の息子です。

ひょっとしたら、見も知らない日本人の三人ばかりでなく、この少年が背に乗っていたことが、ゾウの気持ちを穏やかにしていたのかもしれません。いずれにしても、同行者にとっては普通のゾウ乗りよりも印象の深い体験となったようでした。

普段、東京などに暮らしていると、動物園のゾウは頑丈な囲いで人から隔離され、囲いの外の人から一方的に観賞されるばかりです。しかし、この村では、人がゾウと一緒になって、自然の散策を楽しめます。もっとも、人に乗られたゾウが楽しんでいるかは、私には分かりかねますが。

首都ビエンチャンの町からわずかに四〇分足らずの村で、一人五ドル、締めて一五ドルのゾウ乗り体験でした。

コラム　ラオスより贈られしという四頭の仔象愛しも京都に育つ

タイトルにあるこの短歌が、二〇一八年五月八日（日）の朝日新聞朝刊の「朝日歌壇」に掲載されていました。舞鶴市に住む男性からの投稿です。

二〇一四年にラオス政府が京都市動物園に子ゾウを四頭、寄贈したことを、私は二〇一六年にビエンチャンに行ってから知りました。他方、京都市が中古のバスをビエンチャンのバス公社に寄贈したことを、二〇一七年の秋、ビエンチャン滞在中に知りました。そして、二〇一八年の一月に日本に帰国してから一週間後、ビエンチャンのワッタイ国際空港と市内のバス・ターミナル間のシャトル・バスが、京都市から寄贈されたバスを使用してスタートしたという新聞記事を読

ビエンチャンのワッタイ国際空港に停まる、元京都市営バス。

みました。しかし、今日に至るまで、四頭の子ゾウと中古のシャトル・バスとが、まったく結びつきませんでした。「京都市動物園」のウエブサイトからの情報によれば、以下の通りです。

「ゾウの繁殖プロジェクトは、『京都市動物園開園一一〇周年（平成二五年）』と『日本・ラオス外交関係樹立六〇周年』（平成二七年）』を契機に、両国友好のシンボルとして行われています。（中略）平成二五年七月一二日にラオス人民民主共和国天然資源・環境省において『京都市動物園におけるゾウの繁殖プロジェクト』に関する覚書が調印されました。プロジェクトの内容は、

一）ラオスからアジアゾウ四頭（オス一頭，メス三頭）の寄贈、

二）そのゾウを京都市動物園で飼育し，二国が協力して繁殖に取り組む」

というものでした。

このシャトル・バスは、ワッタイ国際空港と、市内のバス・ターミナルとを三〇分で結びます。途中、ホテルやゲスト・ハウスが集中するセーターティラート通りとサームセンタイ通りに停留所があり、旅行者の使い勝手は抜群です。運賃は、一人一万五〇〇〇キープ（約二〇〇円）です。タクシーで約六万キープ（約八〇〇円）かかるので、小人数の個人旅行者にとっては、ありがたい公共交通機関の出現です。

人々が狂ったようにスピードの極限を追い求めるごとき現代にあって、ゾウとバスとが、日本とラオスの交流に関わるなんて、いい話ではありませんか。

子ゾウ、京都で元気に育て!!

中古バス、ビエンチャンで、ノンビリと行け!!

ラオスから京都市動物園に贈られた四頭のゾウ。左から秋都トンカム・冬美トンクン・春美カムパート・美都・夏美ブンニュン。京都市動物園提供。

第四章

首都ビエンチャンからビエンチャン県へ

首都ビエンチャンから車で４時間。ナム・ソーン川沿いに建つホテルの庭から対岸を眺めれば、そこは山水画の世界。

ビエンチャンの名を聞けば、ラオスの首都を思い出します。しかし、行政上は、首都ビエンチャンと、その北側に広がるビエンチャン県の二つの区域に分かれています。ビエンチャン県は、首都ビエンチャンとは違って、山あり湖あり川ありの、田園が広がっています。首都の住民たちは、週末になると、日帰りで、あるいは一泊で、家族や友だちと連れ立ってビエンチャン県に向かいます。そんなビエンチャン県の見どころをいくつか紹介します。

海のないラオスの製塩工場

昔むかしの大昔、インドシナ半島のあたりは、海の底だったのだそうです。億年単位の昔です。その後、大陸の移動などがあり、インドシナ半島が出来上がりました。そういう大昔の名残が地下に残っているのが、岩塩層です。日本を発ってラオスに来る直前に、ラオスに何度か来たことのある友人から、「ビエンチャン近くで製塩をしている村に行ったことがある。おもしろいから、ぜひ行ってみろ」、と勧められていました。なかなか行くことがかなわずにいましたが、帰国を三週間後に控えた二〇一七年一二月のある日、ようやく思いがかないました。

首都ビエンチャンから北に四〇キロほど、ビエンチャン県に入ってほどないバーン・ボーという村に、製塩〝工場〟があります。村に入り、ラオスのどこにでもありそうな赤土の村道を走っていくと、〝工場〟に到着しました。そこにあったのは、次のようなものでした。

揚水用の木造の櫓（やぐら）が一基。高さは、一四、五メートルといったところでしょうか。この装置で、

地下一〇〇メートルから揚水するための、素朴な構造の木造の櫓。青森県三内丸山の縄文遺跡に再現された櫓を思い出させる。

地下一〇〇メートルほどの深さから濃い塩分を含んだ水を汲み上げています。揚水した水を舐めさせてもらったら、間違いなく濃い塩水でした。次に、平屋の簡単な建物があり、ここで工程に応じて製塩された塩を保管します。そして、一番のメインの〝工場施設〟は、掘っ立て柱に薄板を葺いて切妻の屋根にした、吹き抜けの木造構築物でした。それが、ウナギの寝床のように長く伸びていました。屋根の下には、幅二メートル、奥行き三メートルくらいある長方形の石の竈がずらりと並び、各竈の上に、深さが十数センチある長方形の鉄製のプールが乗っていました。地下から汲み上げた塩水をそのプールに注いで、竈に火を起こし、四時間ほどをかけて水を蒸発させ、塩を取り出すのです。この作業を一日に三度、行うのだそうですが、二回目、三回目は、二時間かければよいとのことでした。

また、そことは別の場所に、別の方法による製塩施設がありました。地面を日本の水田のように畝で区切って、全面的に黒いビニール・シートを敷いたスペースがあるのです。天日塩田です。塩田に塩水を張り、天日でじっくりと時間をかけて水を蒸発させ、塩を作りだすのです。

製塩方法によって、用途が違うそうです。塩水を竈の鉄プールに満たして煮る方法で作った塩は、人が食べる調味料用に、また、天日塩田の塩は、工場に出荷する工業用だそうです。さらに、前者のプールで塩を取り出した後に、プールの底にこびりついた塩の塊があり、これは牛などの家畜用と、ココナツなどの植物を育てる肥料に使うとのことでした。この工場で、一日に七トン程度の塩を製塩するとのこと。製塩したばかりの塩をいただき、口に含むと、旨味がありました。なお、ここでとれる塩には、海水からとれる塩に含まれるヨウ素が含まれていないので、最後の

「製塩工場」の作業風景。鉄製プールに塩水を満たし、竈に火を起こして四時間ほどかけて水を蒸発させる。

行程で塩にヨウ素を振りかけるのだそうです。ヨウ素は、人体に欠かすことのできない元素で、欠乏すると甲状腺機能の低下をきたすとのこと。普段、気づかないうちにお世話になっている塩ですが、こうして話を聞いていると、塩の持つ力は大きいのですね。

製塩工場で働いているのは、みんなボー村の人々だそうです。ただし、投資家が別にいて、政府のコンセッションに応札・落札し、運営の権利を得た上で、村人たちを雇用して製塩しているのだそうです。工場を案内してくれた人に、「この塩は、あと何年くらい採れるのか?」と私が聞くと、答えは、「ずっと採れます。なにしろ、二〇〇年前から製塩してきたのだから」、とのことでした。科学的な根拠はなさそうですが、いかにもラオス的な答えで、私はわけもなく嬉しくなりました。

〝工場〟に滞在すること二時間、まことに興味深い見学でした。なお、中国や日本からのツアーをすでに受け入れている、とのことでした。

最後に、日本の小説の中で、「ラオスの塩」が登場する、珍しい場面を紹介します。

「岩が、白っぽい色をしていた。岳飛は湧水のそばにしゃがみこみ、澄んだ水を掬いあげると、口に運んで舐めた。塩辛い。なにを舐めたのかと思うほど、塩辛い。岩の白っぽいところを、直接舐めてみた。まごうことなく、それは塩だった。[*注]」

北方謙三の『岳飛伝』に出てくる一場面です。小説で設定している時代は、ラオスで言えば、ラーンサーン王国が国土を統一して建国するより一〇〇年ほど前の一三世紀の話です。当時の中国の南宋を逃れた岳飛が、今で言う雲南省の地を経て、ラオスに入ります。そして、今のルアンパバー

天日塩田の作業風景。水田のように畔を造って塩水を満たし、天日で水を蒸発させる。

＊北方謙三『岳飛伝七』集英社

ンの辺りで拠点づくりを始めたのですが、その地で生きていくために懸案となっていた岩塩の鉱脈を探して山中の森を行き、ついに塩水の湧いている小川に行きついたのでした。一二世紀から一三世紀にかけての中国大陸を舞台にした『水滸伝』全一九巻、『楊令伝』全一五巻に続く『岳飛伝』の舞台は、ラオス、カンボジア、ミヤンマーへと広がり、精悍（せいかん）な山岳民族なども出てきて、おもしろいですよ。

川の流れのように

ラオスは、国土の七割が、高原・山岳地帯です。そして、六月から一〇月初旬まで、雨季が続きます。雨季とはいっても、日本の梅雨のように明確な、短期決戦型の雨の季節ではなく、四、五月頃からぽつぽつと降り始め、九月を過ぎて一〇月頃になると、知らぬうちに終わっているという、長期持久戦型の雨季です。高原・山岳地帯から、雨季に集めた水を湛えた大小たくさんの河川が流れ下り、メコン川に合流して、ラオスを豊穣の地にしてきました。

一九六〇年、そんな河川の一つを遡り、ダム建設のための事前調査にやって来た一人の日本人青年がいました。ところが、当時、アメリカの支援を受けた右派と、中立派と、北ベトナムの支援を受けた左派が戦っていたラオスの森の中で、青年は事故にあって消息を絶ってしまいます。

一方、現代のラオスの大都会。田舎から出てきた一人の若いラオス人女性が、ふとしたきっかけで、時を超えて、一九六〇年のラオスにタイム・スリップしてしまうのです。

日本人青年とラオス人女性とが一九六〇年の内戦下のラオスの村落で出会い、川の流れのようにゆったりとした生活が始まるのでした。日本・ラオスの初の合作映画、『ラオス　竜の奇跡』*注のあらすじです。その映画の舞台となったのが、現在のナムグム・ダム周辺の村でした(口絵5頁)。

一九六〇年といえば、私が中学二年生の時。戦争ですっかり疲弊しきった日本の戦後復興が始まり、池田勇人首相が所得倍増計画を発表した年です。他方では、改訂安保条約に反対する全学連が国会に突入し、樺美智子さんが亡くなった年でもありました。それから六〇年、日本で起きた政治・経済・文化・科学技術など、あらゆる面での変化は、筆舌に尽くしがたいものがあります。そんな日本に生きてきた私のような団塊世代の日本人からみたら、この映画に出てくる一九六〇年代のラオスの農村の風景と人々の日常生活、そして人々の支え合いとが、半世紀を超えた現代のラオスの農村のそれらと〝変わらない〟ように思えることに、不思議な思いをしました。

そういう思いを抱いたのは、私だけではなさそうです。映画のヒロインで出演しているノイは、現代のラオスに生きる若い女性という役柄です。農村で生まれ育ったノイですが、その単調な生活に我慢ができず、親の反対を振り切って故郷を後にし、ひとりで都会生活を始めました。ある日、友人たちと郊外に遊びに出たノイは、森の中で道を失い、一九六〇年の世界に入り込んでしまうのでした。そこで出会った日本人青年と、山奥にある農村の人たちとの生活の中で、どうやらノイも、〝変わらないこと〟の大切さに気付くのでした。

この映画の真の主役は、ラオスの農村と、変わらない日常生活を送るそこに住む人々でした。村人たちが信仰する、村を流れる川に住む竜神が、〝変わらないこと〟の大切さを象徴していま

＊『ラオス　竜の奇跡』、主演：井上雄太、ティーダー・シティサイ、監督：熊沢誓人　二〇一六年封切

した。

前置きが長くなりました。実際のナムグム・ダムの建設には、多数の日本企業が参加して一九六八年に着工し、一九七一年に完成しました。ラオス王国の右派を支援するアメリカによる空爆がまだ続いている頃でした。ナムグム川を堰き止めて建設したダムです。そして、完成したダムは、ラオスで最大の湖を造り上げました。

現在では、週末になると、主にビエンチャン首都圏からこの湖にやって来る家族やグループが、船上遊覧や魚料理の食事を楽しんでいます。また、湖畔には、中国系資本による大型ホテルもあります。私は、局の同僚とこのホテルに一泊した時、館内にルーレットやトランプ・ゲームなどのカジノ施設を見つけて驚きました。隣国のタイ人が主な顧客のようですが、社会主義国家で公然たるカジノとは、他に例があるのかどうか、寡聞にして私は知りません。外国人客を相手にしたカジノ産業は、〝変わらない農村〟とはまったく別の世界です。観光に関わる世界は、村を流れる川の流れのように、いつまでも変わらない、というわけにはゆかないんですね。

なお、ナムグム・ダムは、完成の当初は、発電した電力の多くをタイに輸出して貴重な外貨の獲得に貢献していたそうです。現在では各地に大型のダムが造られて、タイを中心とする外国への売電は、ラオスにとって、鉱物資源の輸出に次いで第二の外貨の稼ぎ手となっています。ちなみに、

一九七一年のナムグム・ダムの完成によって造られた湖。週末は、ビエンチャンからの行楽客で賑わう。

外国人旅行者からの観光収入が、売電に次ぐ第三の外貨の稼ぎ手です。

ラオスは、国連から、「後発開発途上国」に認定されている国の一つです。開発途上国の中でも、特に開発が遅れている国、ということです。そんなラオスにとっては、ダムの建設による売電も、観光開発による収入の増大も、大切なテーマです。ラオスの人々が、村を流れる川のように、健康で朗らかな日常生活を送れるようにすることと、政府・民間企業による観光開発、経済発展の施策とが、うまく折り合いをつけられるように、願ってやみません。

山紫水明の地、バンビエン

中国の南部でベトナムと国境を接する広西壮族自治区。そこに、山紫水明の地、桂林があります。桂林の町から漓江(りこう)という川を船で下ると、両岸に、カルスト地形の、タワーのように聳える奇峰が続いていています。日本人にもなじみの、〝山水画〟の世界ですね。

ラオスにも、この〝山水画〟の世界があります。しかも、首都からすぐ近くのビエンチャン県に。バンビエンです。首都から車で北にわずか四時間ほど。桂林には漓江が流れていますが、バンビエンを流れるのは、ナム・ソーン川です。バンビエンの町を北から南に流れ、川の左岸には町並みが続き、そして、右岸には、石灰岩の岩山の奇峰が連なっています。

バンビエンは、かつてはビエンチャン県の山間部にある小さな農村でした。また、ラオス内戦時（一九五〇年代～一九七五年）には、軍用飛行場が建設されて、アメリカ軍の爆撃機が飛び立っていました。飛行場の跡は、今でも、町の入り口にがらんどうの空き地として、山間のリゾート地には不釣り合いな姿をとどめています。

一九九〇年代に入って、ラオス人民民主共和国政府が、建国後の閉鎖的な政策を転換し、外国からの旅行者を受け入れるようになると、欧米からバンビエンを訪れた若者たちがその風景の美しさに魅了されました。首都からの近さもあって、滞在する欧米人が増えてきて、今ではラオスでも有数のウォーター・リゾート地となっています。

ナム・ソーン川でのカヤッキングやラフティング、さらには車のタイヤのチューブを膨らませて浮袋代わりにし、川をのんびりと流れ下るチュービングを楽しむ旅行客で、夏のバンビエンは大賑わいです。また、レンタ・サイクルや四輪のバギー車で周辺の観光スポットを巡る。あるいは、熱気球に乗ってバンビエンの風景を大空から眺め下ろす。さらには、「ブルー・ラグーン」と呼ばれる池での水遊びや、石灰岩の山の鍾乳洞を訪ねる。

バンビエンの郊外（といっても、町の中心からトゥクトゥクで五分も走れば、家並みは尽きてしまいますが）に広がる水田は、日本人にとっては懐かしい風景です（口絵2頁）。町の周辺にはいくつもの洞窟があり、また、滝があって、自転車を借りて、水田の広がる田舎道を走って訪れる楽しみもあります。さらに、川に沿って並ぶ宿泊施設は、若者のためのゲスト・ハウスばかりでなく、ちょっとしゃれたホテルもあります。ある日、私も、川沿いの小さなホテルの木造コッテージの部屋に泊り、ベランダの椅子にくつろいで卓上のビア・ラーオを飲みながら、目の前を流れるナム・ソーン川と、向こう岸に並ぶ奇峰が織りなす山水画のような世界を眺めて楽しみました。

二〇一六年の夏に、私が妻と二人でバンビエンを訪れたときは、韓国人の若者に助けられました。ビエンチャンには、二〇一二年以降ソウルからの直行便が飛んでいて、ラオスの観光地には韓国からの観光客の姿が目立ちますが、バンビエンも例外ではありません。町中にある案内表示も、英語に並んでハングルが目立ちます。日本語の表示は、まずありません。

その日、私たち老夫婦は、トゥクトゥクを借り切って、「ブルー・ラグーン」と、そのすぐそばに聳え立つ山の中腹にある「タム・プーカム」洞窟を訪ねました。洞窟に向かって山を登り始めたのですが、山肌が急峻で這うようにして登らねばならず、かつ、土が濡れて滑りやすくなっていました。家内と二人、上りあぐねて困っていたら、後ろから元気よくやって来た韓国人の若い男女のグループの一人の男性が、我々の困っている姿を見かねて、手を貸してくれたのです。彼の助力で、なんとか洞窟の入り口まで登りつくことができました。また、洞窟の内部を見終えて山の急な泥道を下る時も、彼は我々に手を貸してくれ、無事に下りきることができました。

現代の日本で、「嫌韓」などと狭量なことを平然と言う大人に較べるのも阿保らしくなる、なんとも清々しい韓国の若者でした。

そんな経験が、山紫水明の風景と相まって、私にはバンビエンにはよい思い出しかありません。

第五章

世界文化遺産・ルアンパバーンの街並を歩く

ビエンチャンの夜市と違い、ルアンパバーンは観光客向けに徹した品ぞろえ。

ラオスにはいったい何があるというのか

二〇一八年四月一〇日の朝日新聞の朝刊に、村上春樹の紀行文『ラオスにいったい何があるというんですか?』(文藝春秋)の広告が掲載されていました。この本が出版されたのは、私がラオスに行く直前、二〇一五年の晩秋でしたから、今でもよく売れているのでしょう。結構なことです。

さて、その広告を眺めながら、ラオスを訪れたことがない人にラオスの魅力を伝えることの難しさについて、あらためて考えてしまいました。日本の旅行会社の海外旅行のパンフレットや新聞紙上での海外旅行の広告で探してみても、ラオスへの旅行はほとんど見つかりません。インドシナ半島のラオスの隣国、ベトナム、カンボジア、タイはもちろん、ミヤンマーの旅行もありますが、ラオスだけ、極めて少ないのです。また、インドシナ半島の国々の中で、その首都の街に日本からの直行便が未だに飛んでいないのも、寂しいことにラオスだけです。

さらに、前述のようにラオスは国連から「後発開発途上国」に分類されている、経済的に貧乏な国です。外国のマーケットに対して観光宣伝をするにしても、とても日本のような予算規模で行う余裕はありません。みなさんも、ラオスの観光宣伝のポスターや新聞広告を見た記憶なんて、きっとないことでしょう。ラオス政府は二〇一八年を「ビジット・ラオス・イヤー」と銘打って観光キャンペーンを展開し、日本も最重要マーケットの一つに指定しました。しかしキャンペーンが終了した今、振り返ってみても、一般消費者としてみたら、ラオスの観光で記憶に残るような宣伝・広告は思いつきません。さて、どうしたらよいのでしょう?

村上春樹の紀行文、『ラオスにいったい何があるというんですか?』は、その本のタイトルにもかかわらず、ラオスに関する紀行文は、本におさめられている一〇編の文章の一編に過ぎません。他の九編は、すべて他国に関する紀行文です。しかし村上が本のタイトルに持って来た、その人を食ったような文言が、ラオスを知る人はもちろん、ラオスを知らない人にも、ちょっとした驚きを与えました。おかげで、おそらく世に言うハルキストばかりでなく、普通の旅行好きの人々の中にも、この紀行文を手に取ってみた人々がたくさんいたことでしょう。

二〇一六年一月にラオスに行くことが決まっていた私は、もちろん、この本が出版されると、早速に購入して読んでみました。ちなみに、本のタイトルは、『ラオスにいったい何があるというんですか?』ですが、その中のラオスに関する章のタイトルは、「大いなるメコンの畔で ルアンパバーン(ラオス)」です。世界文化遺産に登録されているラオスの古都ルアンパバーンで、村上も、一般の観光客の例にもれず、早朝の托鉢に参加し、あるいはロング・テール・ボートでパークウー村のタム・ティン仏像洞窟を訪れ、さらには町の中の寺院を巡り、ラオス料理を味わい、そしてラオスの民族楽器の演奏を楽しみます。

そんな時間を過ごしながら、村上はあることに気づきます。それは、「『普段(日本で暮らしているとき)僕らはあまりきちんとものを見てはいなかったんだな』ということだ」我々は毎日いろいろなものを見てはいるが、それは必要だからであって、本当に見たいから見ているのではない。見たいものをじっくりと見るには、我々は忙しすぎる。

「でもルアンプラバンでは、僕らは自分が見たいものを自分で見つけ、それを自前の目で、時間をかけて見なくてはならない（時間だけはたっぷりある）」。村上は、あらためて町の中で出会ういろいろなものをじっくりと見て、こころを惹かれるものを探しだします。そして、「ルアンプラバンの街の特徴のひとつは、そこにとにかく物語が満ちている」ことに気付きます。多くの物語が、ルアンパバーンに住むラオス人の意識の中に集合的にストックされていることを知って、村上は驚きます。

ラオスから帰った村上は、「ラオスにいったい何があるというんですか？」という問いに対する明確な答えを持ち得ていません。しかし、いくつかの光景の記憶だけは持ち帰りました。そして、その光景には、「匂いがあり、音があり、肌触りがある。そこには特別な光があり、特別な風が吹いている。何かを口にする誰かの声が耳に残っている。そのときの心の震えが思い出せる」のでした。村上は、これこそがまさに旅ではないか、というのです。

どうもラオスを訪れることの魅力というものは、村上のようなやり方でないと伝えられないのか、という気がしてきます。高度に経済成長を遂げた日本という国に住む私たち、スピード、効率、競争、成長で気を休めるいとまのない私たちと私たちの社会が、どこかに置き去りにしてしまった何ごとかが、ラオスにはまだ残っているのだ、と言いたくなります。

二〇一九年七月二四日、ラオス国営航空の社長自らが熊本―ビエンチャン、ルアンパバーンの直行定期便の就航を発表しました。同年の一一月末に就航を計画、とのことでした。その後、一〇月二一日付け国土交通省のホームページに、ラオス国営航空に国際航空運送事業を許可したこと、路線は熊本とビエンチャン、ルアンパバーンの各週二便、就航開始は二〇二〇年三月十八日、と告知されました。少々の延期、ですね。ところが、話はこれで終わりませんでした。ラオス側でひと悶着があったようで、さらに延期になる気配です。この本が出る頃には、就航日が確定しているといいのですが（と、ここまで二〇二〇年の初めに書きましたが、そうこうするうちに、新型コロナ・ウィルスの発生で、直行便の話は雲散霧消しました。嗚呼！）。

人々の日々の営みを壊すのは、誰か？

ルアンパバーンの町の中心は、北流してきたナム・カーン川が東に大きく蛇行して、最後にメコン川に注ぎこむ、その東流するナム・カーン川と西流するメコン川に挟まれて、半島状の地形を造った場所にあります。町の中央を東西に走るのが、シーサワーンウォン通りと、そのまま東に続くサッカリン通りの二本の大通りです。ちなみに、シーサワーンウォン王の銅像はビエンチャンで見た通りですが、サッカリンも、ルアンパバーン王国の王様の名からとりました。

この、二キロ余りに渡って続く二つの大通りの両側に、町の主要な寺院や、王宮跡の国立博物館、町を鳥瞰して、かつ、みごとな夕陽を見ることもできるプーシーの丘、レストラン、宿泊施設、商店などが軒を連ねています。高層建築はまったくなく、ほとんどの建物が平屋、または二階建ての木造建築、もしくはフランス植民地時代の様式の建物です。木造建築の並ぶどこか一角を切り取ってみれば、中山道の妻籠宿のような、日本の宿場町を思わせます。

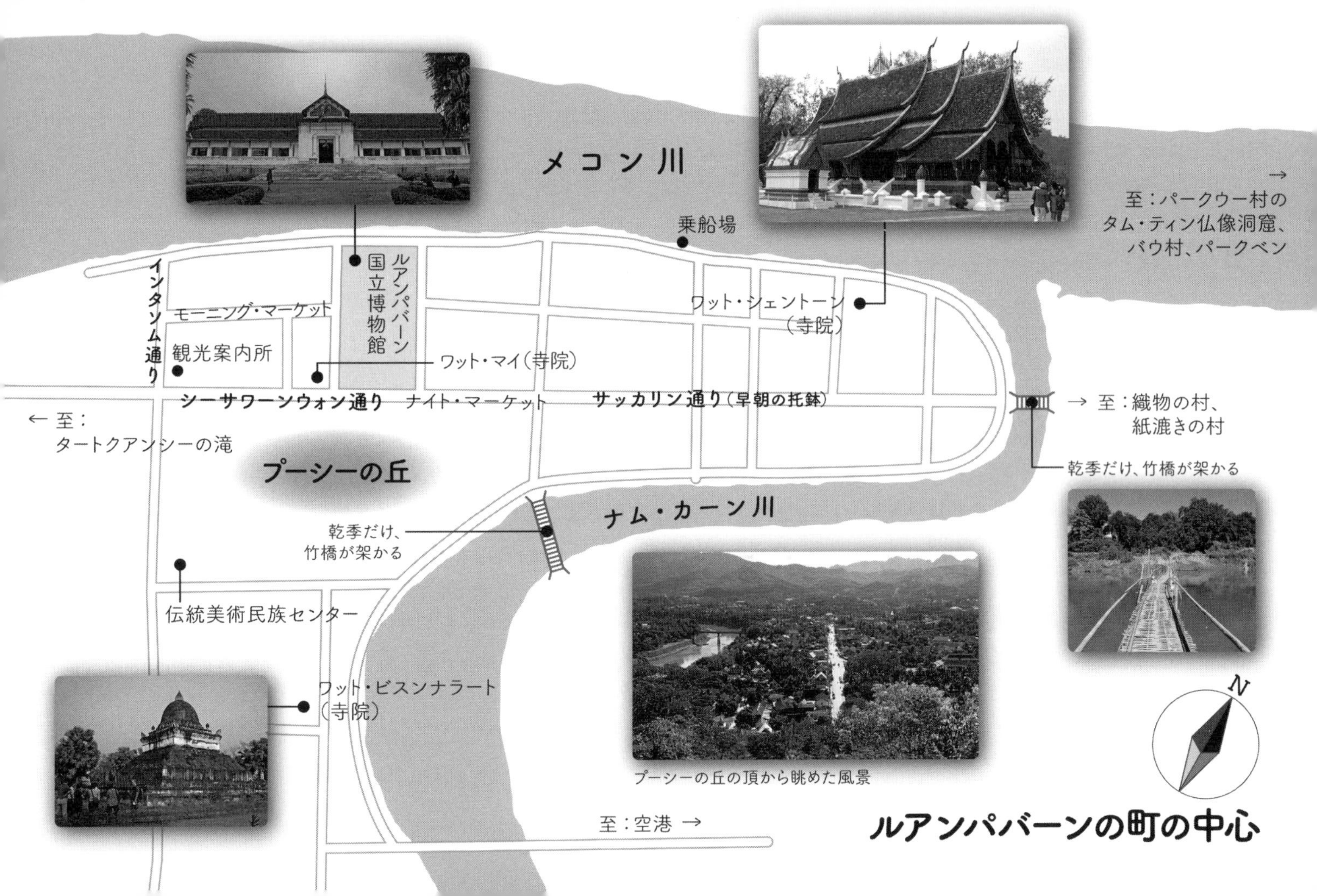

プーシーの丘の頂から眺めた風景

世界文化遺産に登録されているこの町は、イギリスの著名な旅行雑誌、『ワンダーラスト』が二〇〇六年から毎年、読者を対象に行っているアンケートの「世界でもっとも魅力ある町」部門で、二〇一九年までの一四年間に八回、第一位を獲得しました。ちなみに二〇一七年、二〇一八年、そして二〇二〇年は、京都が第一位を獲得しています。

京都も世界文化遺産に登録されていますが、町という面としてではなく、「古都京都の文化財」という名称で、一七の寺社仏閣等が点として登録されています。一方、ルアンパバーンは、登録が「ルアンパバーンの町」という名称で、すなわち、面として登録されているのです。登録の理由は、「ルアンパバーンの町は、ラオスの伝統的な建築物と、一八、一九世紀のヨーロッパの植民地風の建物とが、例外的なほどに融合していて（中略）その貴重な町の風景をみごとに保存している云々」というものです。

さて、ルアンパバーンの一日は、早朝に始まり深夜に終わります。ここでは、村上春樹がそうしたように、ルアンパバーンでのある一日の過ごし方を概括してみましょう。

二〇一七年の冬至が近いある朝、五時前に起床して身支度を整え、五時二〇分にホテルを出ました。この時期、外はまだ夜の闇の中です。長袖のシャツにカーデガンを羽織っていましたが、その年初めて味わううすら寒さでした。町の中心に近いホテルに宿泊していたので、托鉢を見学するサッカリン通りまで歩いて行きました。寺院が集中するルアンパバーンの背骨となる通りで、毎朝多くの托鉢僧がやって来ます。

サッカリン通りに着くと、喜捨する人はまだほとんど来ておらず、人々が座ることとなる小椅

江戸時代の宿場町のような、木造二階建ての家並み。目的もなく町を歩くだけで、気分が晴れ晴れとしてくる。

子だけが、歩道に延々と並んでいました。車道には、喜捨のための蒸した糯米（もちごめ）や菓子を売るおばちゃんたちが何人も出ていました。車道にはあちこちに立て看板のようなものが立っていました。近づいて見ると、看板には、二種類がありました。一つは、喜捨のための蒸した糯米（もちごめ）や菓子の値段表でした。糯米は、竹で編んだ飯櫃（めしびつ）に入れますが、小櫃で一万キープ（約一三〇円）、中櫃で一万五〇〇〇キープ（約二〇〇円）、大櫃で二万キープ（約二六〇円）と書いてありました。一年前の春、初めてルアンパバーンの托鉢を見学した時、おばちゃんたちが売る蒸した糯米が一〇ドルしていて、ビックリ仰天したのですが、さすがに当局が規制に入っているようでした。

もう一つの立て看板には、托鉢を見学する、あるいは、喜捨をするに際しての注意事項が、箇条書きで、しかもご丁寧にも絵入りで書いてありました。

一．托鉢僧の写真を撮る際、フラッシュはたかないこと。

二．同、僧侶から三メートル以上離れること。

三．喜捨する人は、肌を隠した服装で、僧侶に敬意を払うこと。

いずれも、至極当たり前のことが書いてありました。なお、いずれの立て看板にも、最後に「アジア開発銀行」の名が入っていて、こういう面でも外国からの支援を受けているのでした。さて、その当たり前のことがまったく守られていないことが、すぐに判明することとなりました。もっとも、三番目の服装だけは、守られていましたが。なにしろ、熱帯の国ラオスといえど、冬至に近い朝六時前は、気温が二〇度以下とうすら寒かったので。

時間が経つにつれて、宿泊しているホテルから小型バスで乗り付けた外国人観光客のグループが、歩道に並んだ小椅子に座り始めました。喜捨を体験するためです。そして、その仲間の人たちが、カメラをもって車道に立ちました。むろん、朱色の僧衣をまとった托鉢僧を撮り、僧に喜捨する仲間を撮るためです。歩道の小椅子に隙間もなく座った人たちの大部分は、外国人観光客でした。地元の人々の小さな一団は、圧倒的な観光客の列から少し離れたところに呉座を敷いて、遠慮がちに座っていました。

六時近く、歩道に並ぶ無数の小椅子がほぼ埋まった頃、彼方の暗闇の中から托鉢の僧列が姿を現すのが見えてきました。途端に、僧列に向かってカメラのフラッシュが一斉にたかれ始めたのです。これには、私も驚きました。それればかりか、車道でカメラを構えた外国人観光客の群れが、僧列に向かって足早に移動し始めました。そして、誰もが人に撮影の邪魔をされない一番前の場所を争うので、とうとう、僧列の間近くに迫った場所を陣取り、フラッシュをたいて撮影するのでした。喜捨をする地元の人々も、観光客の容赦のないフラッシュを浴びておりました。

なんという有様でしょうか。これが、ラオスがその荘厳な日常風景として世界に誇るルアンパバーンの托鉢の実態だとは。アジア開発銀行の名で立てられた看板の白々しいこと。私は、注意事項の三番目の服装だけは守られている、と書きましたが、間違えました。三番目の注意事項の本意は、「僧侶に敬意を払うこと」でした。しかし、ここには、毎日の托鉢を行う僧に対する微塵の敬意も、喜捨する地元の人に対する想像力のかけらも、何もありませんでした。

サッカリン通りの托鉢の無残な光景に滅入ってしまった私は、メコン川の方に続く横道に入ってゆき、托鉢僧を待つこととしました。街燈がほとんどないので、まだ薄暗い小路の角に、地元の人々が七~八人、道端に呉座を敷いて座り込んでいました（口絵7頁）。やがて暗闇の中から托鉢の僧列がやってくると、人々は居ずまいを正しました。僧侶たちは裸足のため、文字通り物音一つ立たない厳粛な雰囲気の中で、数十人の僧侶への喜捨が行われていくのを、私は小路の反対側の暗闇の中で見守っていました。

地域の人々だけによって長年に渡って営まれてきた日々の営みを、観光資源化することの難しさを、あらためて考えさせられました。

なお、地元のお寺の僧侶による托鉢は、むろんルアンパバーンだけでなく、ラオス全土の町や村で、毎朝行われています。首都ビエンチャンでも、朝五時半から六時過ぎに町の中を歩いていると、地元の人々だけによる喜捨を受けている僧列に出会うことでしょう。いや、ルアンパバーンでも、観光客が集中しているサッカリン通りを避けさえすれば、僧侶と地元の住人だけによる荘厳さを保った托鉢に出会えます。

よそ者の私が滅入ってしまったサッカリン通りの托鉢ですが、一部の外国人観光客の言語道断な振る舞いに、喜捨をしていた地元の人たちの気持ちは、いかばかりでしたでしょう。そして、当の僧侶たちは、毎朝あの失礼千万なフラッシュを浴びながら、黙々と托鉢を続けているのです。なんとか、町の行政の人たちの奮起と知恵を期待したいところです。

町を歩き回る

六時半近く、托鉢の僧侶たちがお寺に戻ってしまうと、冬ならば、東の空がようやく明るんできます。そこで、シーサワーンウォン通りから、ワットマイの角をメコン川方向に曲がり、最初のブロックを西に入ります。すると、真っすぐにインタソム通りに突き当たるまでの二百数十メートルの狭い小路の両側に、小商いの店が肩を並べています。店といっても、地面に直接にビニール・シートを敷いたり、プラスチック製や発泡スチロール製の箱や、せいぜい簡易な木組みの卓の上に板を敷いただけ。その商品棚には、川魚、川海苔、毛をむしりたての鶏、鶏卵、各種の朝採り野菜、果物、乾物類、蕎麦、各種ラープ、ちまきなどが、所狭しと並んでいます。そして、食料品を買いに来た地元の人々と、あまりにも素朴な朝市の風景を楽しむ外国人観光客で、早朝の小路は大賑わいです。この朝市での地元の人々の日常は、観光客の見物くらいで壊れてしまうようなやわなものではなさそうなので、托鉢よりはよほどましでしょう。

さて、朝市を見物したら、一度ホテルに戻って、朝食をとります。その後、シーサワーンウォン通りに戻って、ルアンパバーン国立博物館を訪れてみましょう。この建物は、一九七五年の社会主義国家の建国以前は、ラオス王国の最後の王様とその家族が住んでいた王宮でした。王宮とはいっても、ベルサイユ宮殿などとは較ぶべくもない、つつましやかな建物と内装です。しかし考えてみれば、ベルサイユ宮殿などというのは、人間の持つ欲望には限りがないということを象徴するような建物でした。そんな建物を見物して、その壮麗さに感嘆していた昔の自分を思い出すと、なんだか哀れを覚えてきます。そんなことを考えさせてくれるだけでも、この旧王宮には意味がありそうです。

なお、この国立博物館の敷地内に、黄金のパバーン仏が安置されています。ルアンパバーンの町の名の由来となった、大切な仏像です。ラオスで人々にもっとも信仰されているこの仏像が、年に一度ご開帳となるのが、四月のラオス新年、ピーマイ・ラーオの時です。この黄金仏は、〝水かけ祭り〟の名で知られたラオス新年の日、聖水を注ぎかけてお清めをする儀式のために、博物館の隣にあるワット・マイ寺院に移されます。ラオスの人々は、普段は拝むことができないこの仏像を拝むために、ワット・マイ寺院に集まって来ます。残念ながら、私は、ラオス滞在中にパバーン仏を拝む機会を逸してしまいました。

さて、国立博物館を見終えたら、シーサワーンウォン通りを隔てて博物館の向かい側に聳えるプーシーの丘に登ってみましょう。頂まで三二八段の石段を登るので、お年寄りや小さな子ども連れには、ちょっとした覚悟が必要です。水のボトルを、忘れずに持参しましょう。頑張って登り終えて、頂から町を眺め下ろしたら、自力で登った苦労が吹き飛びます。特に、南面の眼下に広がる風景は、ナム・カーン川の流れを左に、白い直線の道路を右に配して、木々の緑の中に、柿色の屋根と白い壁の民家やお寺が見え隠れしています。そして、遠景の山が、町を縁取っています。私のように不器用な人間が撮った写真でも、絵葉書に使えそうです。ちょっと、でき過ぎの風景かもしれません（口絵4頁）。この狭い頂が、夕方に来てみると、人であふれています。やっぱり、西のほう、メコン川の彼方の山に沈む夕陽を見るために、観光客がやって来るのです。

ここの風景は、でき過ぎかもしれません。

この丘を下る時は、先ほどの石段とは反対側にある道をとりましょう。下り道の中腹に金の仏像などが鎮座していたり、麓に、日本人の篤志家が寄贈したお坊さん学校があって、失敬にも教室の窓から覗き込むと、橙色の衣を着た少年僧たちが授業を受けています。

再び、シーサワーンウォン通りに出ました。ここからゆっくりと歩いてサッカリン通りに入り、半島の先端の手前にあるワット・シェントーン寺院まで行きましょう。道の両側には、木造二階建ての家屋が並んでいます。通りの家並みをぼんやりと眺めていると、まるで日本のどこかの宿場町のような風景です。それぞれの建物には、様々な民芸品などの販売店、パン屋、蕎麦屋、ホテルなどが入っています。また、フランスの植民地様式の建物に出くわしたりもします。さらに歩くと、小学校の校庭あり、お寺ありと、思わず立ち止まってしまいたくなり、ワット・シェントーン寺院までの一キロの道のりが、遠いのです。

途中で、角があったら左手に曲がって脇道に入ってもよいでしょう。木造の民家や、ゲストハウス、そして、植民地様式の造りのレストランがあります。表通りとは違って、人に会うこともあまりなく、静けさがあたりにただよっています。ルアンパバーンの町が面として、世界文化遺産に登録されている理由が納得できます。

そのルアンパバーンでイチオシの建築物といえば、ワット・シェントーン寺院でしょう。建立は一五六〇年で、首都をルアンパバーンからビエンチャンに遷(うつ)し、ラーンサーン王国の隆盛をもたらしたセーターティラート王によるものです。数あるルアンパバーンの寺院の中でも、その本

どこまでも優美な、ワット・シェントーンのたたずまい。

堂の建物の容姿の美しさは、訪れる人を惹きつけます。建物の様式は、日本でいう切妻造りの屋根で、妻入りになっています。切妻屋根は、妻の側から奥に向かって四段に連なっています。かつ、一、二、四段目が二層、三段目が三層になっているのです。そして、大棟に近い上層の屋根の勾配は深いのですが、下層の屋根は浅い勾配で、ゆるやかに曲線を描いて流れ落ちています。まるで、十二単（ひとえ）の裳裾（もすそ）のように。言葉では、ちょっと分かりづらいでしょうから、写真をご覧ください。同じラオスの寺院といっても、ビエンチャンで見たワット・シームアン寺院やワット・シーサケット寺院よりも、ずっと優美な姿ですよね。

見るべきは、建物の屋根構造ばかりではありません。本堂に入ると、黒塗りの地の壁面に、金の色も鮮やかに、仏教説話や植物をモチーフにした模様が描かれています。そして、堂内の正面に、ご本尊の釈迦牟尼仏が祀られています。

また、本堂の裏に回ると、壁面いっぱいに「生命の木」が描かれています。

他にも、寺院の入り口を入ってすぐ右手にある「霊柩車庫」の黄金の龍をモチーフにした霊柩車、本堂の左手にある「レッド・チャペル」と呼ばれるモザイク画で彩られた祠など、訪れる人を飽きさせません。

それにしても、同じ仏教の寺院とはいっても、日本の寺の建物の外観や内装との大きな違いに驚かされます。世界は、多様じゃありませんか。その多様さを受容すること、そして、よその文化を尊重することの大切さを、旅が私に教えてくれます。

メコン川を遡る

ルアンパバーンでの昼飯は、米から作る平たい麺のカウソーイがお勧めです。ルアンパバーンなど、ラオスの北部地域の名物麺です。豚ひき肉、トマト、発酵大豆に唐辛子を溶かしたスープが特徴で、見た目ほど辛くはありません。この町に前回来た時に立ち寄った、サッカリン通りに面した小さな麺屋に入りました。付け合わせの野菜を口に放り入れながら食べたカウソーイは、旨かった。一人前二万キープ（約二六〇円）也。

腹が満ち足りたら、メコン川の岸辺の桟橋へと向かいます。桟橋とはいっても、土手の階段を降りた岸辺近くに停泊するボートに、乗船用の簡易な板を渡しただけ。ロングテール・ボートと呼ばれる、やたらに細長い木造船です。真ん中の狭い通路を挟んで左右に一席ずつ、一〇列ほどの席があります。船尾にモーターが取り付けてあり、船首に陣取る船頭が操船します。

一二月、ラオスは乾季ですが、泥を含んだ茶褐色の水が、滔々（とうとう）と流れています。ルアンパバーンの辺りで、メコン川の川幅は百数十メートルといったところでしょうか。ロングテール・ボートに渡した板を渡って乗船し、川を遡ります。上流に遡ること二時間ほどで、パーク・ウーという村の、川に面して切り立つ崖に開いた洞窟に到着します。途中、ラオ・ラーオ（高アルコール度数の蒸留酒）を製造・販売する村に立ち寄ります。

桟橋を離れたボートは、茶褐色の重たそうな流れを快調に遡り始めました。ルアンパバーンの家並みは、あっという間に消えてしまいました。あとは、どちらの岸にも木々が生い茂り、時に

メコン川の川底から垂直に切り立つ崖に穿たれた、パーク・ウー村のタム・ティン洞窟。

村の家屋が見えると河岸に水牛たちが群れ、あるいは乾季の間だけ耕作される狭い畑が見えてきました。一時間ほどで、ラオ・ラーオの村に到着しました。川岸の簡易桟橋で下船して土手を登ると、そこは観光客向けの土産品を売る店が建ち並ぶ集落でした。ラオ・ラーオをはじめとして、綿や絹の服飾品から、様々な小物まで、数十軒の店が、村の道沿いに隙間もなく並んでいるのでした。ルアンパバーンを訪れる観光客の多くがこの小さな村を訪れるようで、村の通りは、ルアンパバーンの町中では見ないような混雑ぶりでした。訪れているのは、外国人観光客ばかりではなく、ビエンチャンからやって来たというラオス人高校生の一団が、元気に飛び回っていました。村の日常の様子など、想像もつかない有様でした。そう思うのは、わずかな時間の滞在でこの村を通り過ぎてゆく私の勝手な言い分です。早々にボートに戻りました。

村からさらに遡ること一時間で、パーク・ウー村のタム・ティン仏像洞窟に到着しました。日本人を含む外国人からは、所在する村の名をとってパーク・ウー洞窟とも呼ばれています。切り立った崖の足元に、これまた簡易な桟橋があります。ボートを下りて、崖の壁面に大きな口を開けている洞窟まで続く急な石の階段を上りました。洞窟の入り口まで来ると、中には大小無数の仏像が祀ってありました。七～八世紀に、今の雲南省辺りから南下してこの地にやって来た人々が、精霊を祀ったのが始まりだそうです。その後、九世紀に仏教がラオスに伝来すると、金や銀の仏像を祀るようになりました。しかし、それらは悪人たちに盗まれてしまいました。今祀られているのは、木製や石製の仏像ばかりだそうです。この洞窟の仏像群を保護・管理している人々の村は、メコン川を挟んで洞窟の対岸にあります。

人間というのは、洞窟の中の空間に、やすらぎのようなものを感じるのでしょうか。古くから、洞窟に住みついた人間がいたようです。数万年前に壁画が描かれた、スペインやフランスにある洞窟は有名ですね。日本でも、古事記の神話の中で、神武天皇が奈良に進軍した時、今の桜井市のあたりで、「土雲」と呼ばれる、手脚が長く、尾のある土着の穴居生活者を騙し討ちする話が出てきます。映画『ロード・オブ・ザ・リング』で、ホビットたちの故郷にある家も、小山の裾に穴を掘って造っていました。こうした例は、きっと世界中にあるのでしょう。生きた人間の住居としてばかりでなく、死者を葬る場として、あるいは神や仏を祀る場としての洞窟の役割は、さらに大きかったと思います。

二〇年ほど前に、中国で三峡（さんきょう）下りの船旅をした時、現在の四川省の山の中で、断崖絶壁に設けられた墓を見上げたことがあります。揚子江の支流の川面からほぼ垂直にそそり立つ崖の、一〇〇メートルくらいはありそうな高さに穴が口を開いていて、そこに、千数百年（?）も前の時代の人が納めた舟形の木棺があるのだ、ということでした。その洞穴から崖の頂まではさらに数十メートルはあり、何の重機もないその時代に、人々は遺体と木棺をどのようにして洞穴まで運び上げたのか、不思議に思ったものです。そういうことをした人々を祖先に持つ人々が、中国からこの地にやって来て、川面から十数メートルの高さにある洞窟を見つけ、自分たちが信じた精霊をそこに祀ったとしても、何の不思議もありません。しかし、心から仏を信じて黄金仏にして祀る人もいれば、黄金仏を金銭的な価値だけではかり盗んでしまう人がいるのは、世の常なんですね。千数百年かけて、この洞窟で起きたあらゆることを、メコン川だけが見続けてきたのです。

過去、現在、未来。絶えることなく流れるメコン川を黙視する仏像群。

メコン川の下りは、上りの半分の時間、一時間でルアンパバーンの町に着いてしまいました。下船して、土手の階段を登り、町に足を踏み入れた時、あの世からこの世に戻ってきたような、妙な感覚に囚われました。メコン川の精霊に、化かされたんでしょうか。往復で四時間のメコン川の船旅、〆て九万キープ（約一一〇〇円）也。

あら楽し身の丈ほどの夜の市

ビエンチャンのナイト・マーケットは、すでに紹介しました。しかし、ラオスでナイト・マーケットといえば、なんといってもルアンパバーンです。では、二つのナイト・マーケットの違いは、何でしょうか。それは、ビエンチャンのマーケットの主なターゲットは地元の人々であるのに対して、ルアンパバーンは、外国人観光客であること、です。したがって、取り扱う商品も、ビエンチャンが地元住民の日用品が中心であるのに対して、ルアンパバーンは、伝統的な民族衣装、布・竹・木・紙細工の工芸品、バッグ、オモチャ、僧侶などを描いた水彩画、その他の小物類、そしてラオス産のコーヒー、塩など、外国から来た観光客が喜びそうな、多彩な商品です。だからでしょうか、開催場所も、ビエンチャンは〝場末〟のメコン川の土手下の公園であるのに対して、ルアンパバーンは、古都の銀座通りというべきシーサワーンウォン通りの西半分約四〇〇メートルです。

しかし、店のお目当てが外国人観光客（とりわけ女性）とは分かっていても、ルアンパバーン

売り手も買い手も、女性ばかり。

のナイト・マーケットは、その色彩の豊かさと多様さのゆえに、私のような野暮な人間でも、店を覗きながら歩くのは、心が弾む思いです。シーサワーンウォン通りの西の端にある交差点が、ルアンパバーンの市内観光の起点です。夕方五時ともなると、この一帯から東にむかって、赤いテントが店開きをします。店の並びは、通りの両側に各一列と、道の真ん中に背中合わせに二列です。したがって、ナイト・マーケットの店をすべて覗いてみようと思ったら、往復一キロ近くを歩かねばなりません。

シーサワーンウォン通りの交差点から歩き始めると、しばらくの間、モン族の人たちによる民族衣装を含む衣類・服飾品のテント店が続きます。女性用なので、色彩がなかなか鮮やかです。ラオスを知る女性の言では、同じモン族の人たちによる衣類・服飾品でも、ルアンパバーンのナイト・マーケットに並ぶものは、ビエンチャンの町中のお土産屋さんに並ぶものよりも質がよく、値段も安い、とのことでした。

テントの店で販売をする人は、モン族ばかりでなく、ラーオ族はもちろん、少数民族のクム族、ルー族など、様々な民族の人たちです。お客の方も、世界の各国からやって来た多様な民族の人々です。ラオスという小さな国の可愛らしい町の一角が、毎夜、民族のるつぼと化してしまうとは、愉快ではありませんか。もっともテントの中にいる店の人たちは、民族衣装ではなく、何の変哲もない普段着姿なので、私には、誰が何族に属する人か、さっぱりわかりませんが。

また、店の販売員は、大概が女性です。中には、地面にじかに敷いた筵（むしろ）の上の商品の間を幼児が這っていたり、小学生くらいの女の子が手伝いをしている赤テントがいくつもありました。家

庭がそのまま赤テントの中に持ち込まれている様子でした。ラオス人は、一般的に家族・親族の絆が強いですが、そういうことが赤テントの様子にも反映されているかもしれません。

それにしても、男連中は、どこで、何をしているのでしょう？　ということで、その辺のことを、ラオス人の知人に聞いてみました。すると、彼の答えはこうでした。「夜市では、お客と販売員とが値段の駆け引きをします。もしも販売員が若い女性なら、あなたは、強引に値切ろうとは思わないでしょ」。うーん、意外としっかりと商売を考えているのかもしれません。しかし、お客が男なら、そうかもしれませんが、女性の場合は、どうなんですかね。

この夜市は、ラオスでもっとも外国人観光客が集まる「観光資源」の一つです。こういう場所では、外国人観光客が嫌な思いをするということが、あちこちの国でまま起こります。しかし、ここでは、売り手のラオス人に押しつけがましさは微塵もありません。店に立ち寄ったら、「サバイディー（ラオス語の挨拶ことば、一日中使える）」と声をかければ、店の女性から「サバイディー」と返ってきます。品選びをしても、買いたいものがなかったり値段が折り合わなかったら、「コープチャイ（ありがとう）」と声をかければ、それでおしまいです。次の店が、あなたを待っています。

小物を売るラオスの女性たちも、それを品定めする外国から来た女性たちも、女性が輝く古都の夜市です。

夜市の店が閉じるのは、一〇時頃です。こうして、早朝の托鉢に始まったルアンパバーンの長い一日が終わります。

コラム　日本人にだけ通じるユーモア？

ルアンパバーン名物のナイト・マーケットが始まる「観光案内所」のすぐ隣の小路に、毎夜、混雑極まりのない飲食の屋台が並び出ています。屋台と屋台の間にお客用の椅子と卓が並び、人がすれ違うのに苦労するほど、路地に多国籍の人々が群がっています。その飲食の店の一つに、ビュッフェ式の屋台がありました。腰くらいの高さに張り渡した板の上に様々なラオス料理が並び、その後ろの壁に貼られた大きな白板のメニューが、英語、中国語、韓国語、そして日本語で書かれていました。おやありがたい、と思って読み始めたら、とんでもない表示になっていたのです。

最初に気付いたのは、「大きな水」、「小さな水」という奇妙な日本語の表示でした。なんのことだろう？　英語を見たら、「Big water」、「Small water」。むろん、おおもとの英語からしておかしいのですが、その英語を日本語に直訳していたのです。妥当なのは、「水、大ボトル」、「水、小ボトル」。

そこから始まり、白板のメニューに書いてある日本語を読んでいったら、笑えてきました。

「ファンタできる」。これは、「Can Fanta」の日本語訳。つまり、「缶ファンタ」。

「シュエップスできますか?」。これは、「Can shweppes」。つまり、「缶シュエップス」。

「スプライトできます」。むろん、「Can sprite」で、「缶スプライト」。「コカコーラ可能」。「Can coca cola」で、「缶コーラ」。

ペプシとビールだけは、なぜか、「缶ペプシ」、「缶ビールラオ」と〝正しく〟訳していました。

同じcanという英語を、ここまで多様な日本語に訳し間違えていると、これは、翻訳者のたくみなユーモアなのか、と思ってしまいました。

しかし、次のような表示に出会うと、これを日本語に訳した人は、本気で間違えているのかな、とも思えてきたのです。

「一時間前に支払い」。ん？「1TIME and pay before」。これは、どうやら、「一回ごと、前払い」と言いたいらしい。

DRINKS

- Big beer lao	大啤酒老挝	큰 맥주 라오스	ビッグビールラオス	12,000 kip
- Small beer lao	小啤酒老挝	작은 맥주 라오	小さなビールラオ	10,000 kip
- Big can beer lao	大可以啤酒老挝	빅 맥주 라오	大きなビールラオ	12,000 kip
- Dark beer lao	黑啤酒老挝	다크 맥주 라오	ダークビールラオ	10,000 kip
- Can beer lao	可以啤酒老挝	[illegible] 있습니다.	缶ビールラオ	10,000 kip
- Can coca cola	可口可乐	[illegible]	コカコーラ可能	7,000 kip
- Can sprite	可以精灵	스프라이트 가능	スプライトできます	7,000 kip
- Can schweppes	可以schweppes	수 있습니다	schweppesできますか？	8,000 kip
- Can fanta	可以fanta	판타지 수 있습니다.	ファンタスできる	7,000 kip
- Can pepsi	可以pepsi	수 펩시	缶ペプシ	7,000 kip
- Big water	大水	큰 물	大きな水	7,000 kip
- Small water	小水	작은 물	小さな水	5,000 kip

「余分な肉を食べる」ん？ん？「Meat to pay extra」。これは、「肉類を選んだら、追加料金が掛かります」、らしい。いや、やはり、わざと誤訳して、日本人を笑わせようというサービスのつもりなのか？

こうなると、中国語、韓国語の訳も気になります。どこにいても観光客を飽きさせない町、ルアンパバーンのお店で見つけた表示でした。

第六章

旅行ガイドを閉じて、市場へ行こう

タラート・クワディン市場にて。売られているのはすべて川魚。焼いたり香草と混ぜて炒めた魚を蒸した糯米で食べると旨い

各国に、その国なりの市が立つ

外国の町を訪れた時の楽しみの一つに、市場の訪問があります。私のような、買い物にほとんど興味のない人間にとっても、です。

アジアであれ、ヨーロッパであれ、その町やその国の伝統的なスタイルの市場には、魅力がありますよね。市場は、商品から建物から売る人々の接客の仕方まで、そこの土地柄を反映して、市場としての伝統的なスタイルを造り上げてきたからなのでしょうね。

私は一九九〇年代の五年間、香港に住んでいたのですが、その時、買い物の用もないのに、時々、市場を訪れていました。香港では、市場のことを街市（ガイシー）と呼んでいて、香港島側、半島側のあちこちにありました。衛生面に特別のこだわりを持つ外国人には、香港の街市は近づき難かったことでしょう。そういう人たちのためには、現代的なビルの中に、日本のデパ地下にあるような食料品売り場がありました。しかしそういう場所は、買い物の用がない私は、行く気にはなりません。また、平均的な香港人も、値段の高いそんな店で食料品は買いません。みな、町中に小店やテントが軒を連ねる、あるいは古ぼけたビルの中にある街市に行きます。

特に香港島の真ん中あたりの湾仔（ワンチャイ）にあった街市は、肉、鶏、魚、野菜、果物の食料品の小店が軒を連ねて、町全体がマーケットといったような賑わいで、私のお気に入りの街市でした。時々、買い物客で溢れる道の真ん中に違法な台車を持ち込んで、商いをしている人々もいました。そういう人たちは、取り締まりの係員の姿を見るや否や、商品を風呂敷のようなものにひとくるみにして、台車を押してさっさと逃げてゆきました。そして、係員の姿が消えるとまた戻って来て、何ごともなかったように商いを再開するのでした。まるで、一場の劇を眺めているようでした。

しかしこの一帯も、一九九七年に香港が中国に返還される前後の時期から、再開発の声が起こりはじめました。一帯の小店やテントを取り払い、ビルを新築して、衛生面で問題のないマーケットにしようという再開発の計画です。「そんなことをしたら、香港がシンガポールになってしまうではないか」、というような第三者の手前勝手な泣き言は、むろん、ご当局に届くはずもありません。念のために、「湾仔街市」*でインターネット検索をしてみたら、「二〇〇八年に新しい高層住宅の一階にオープンした。昔と違って清潔で、ショッピング・モール並み」、とありました。「昔と違って清潔で」、ですよ。これを書いた人は、「だから、観光客も、安心してどうぞ訪れて」と、言いたいようです。しかし、〝不衛生〟だが無秩序の賑わいがあった昔の湾仔街市を知っている私のような人間としては、そう言われても食指は動きません。

香港にこだわりすぎました。要するに、訪れる人にその土地柄を感じさせる市場というものがあることを言いたいのです。そして、ラオスにもそんな市場があります。私が訪れた町は、限られていますが、市場訪問は欠かしませんでした。

ビエンチャン市民の〝胃袋〟、タラート・クワディン

ラオスの首都ビエンチャンの町には、いくつもの大きな市場がありますが、ここで紹介するの

＊「湾仔街市」のホームページ

は、町の中心部にある「クワディン市場」です。場所は、ラーサーン通りに面した有名なタラート・サオというショッピング・モールの、いわば裏側にあります。「タラート」は、市場を意味するラオス語で、「サオ」は朝、したがって「タラート・サオ」は、文字通り朝市の意味です。かつてここには、毎朝、伝統的なスタイルの朝市が立っていました。しかし、十年ほど前に立て替えられて、現在では、女性の伝統服のシンや雑貨を売る古い一棟だけを残して、残りの敷地に鉄筋コンクリートの二棟のビルが建ちました。その名も、タラート・サオ・モールⅠ、Ⅱです。地元の住民のための日常雑貨や、衣料、金製品などを売っています。

タラート・サオで、外国人観光客にとって訪ねる価値があるのは、なんといっても唯一残された旧棟です。ラーサーン通り側から薄暗い入り口を入ると、蛍光灯の下に、ラオス人女性の伝統巻きスカートのシンを売る店が何軒も連なっています。買い物にさしたる関心のない男性でも、シンの美しい生地と色合いに、足を止めてしまうでしょう。もう一つお勧めは、モールⅠの三階にあるフード・コートです。麺、飯の様々な種類のラオス料理の店が入っていて、買い物にやって来た人々でいつも大賑わいです。一万五〇〇〇キープ（約二〇〇円）で、ラオスの昼食を楽しめます。それ以外は、外国人観光客にはおもしろみの少ないショッピング・モールです。まあ、あくまでも住民の利便や衛生が第一ですから、外の人間がとやかく言うべきことではありませんが。

しかし、タラート・クワディン市場は、違います。生きた、昔ながらの市場です。特に、タラート・サオでは売らなくなってしまった生鮮食料品の売り場は、まさにビエンチャン市民の〝胃袋〟

ビエンチャン市民の〝胃袋〟、タラート・クワディン市場。屋根代わりのビニール・シートの下に広がる野菜や果物。

として、活気を呈しています。

　牛、豚、鳥の肉類は、古い建物の中で販売しています。木製の台の上に内臓を含めたあらゆる部位の肉が並べられ、裸電球に照らされて、みごとなまでに光っています。ここで買った豚肉のロースで、妻がよくトンカツを作ってくれました。またここには、角切りにした棒状の皮に剛毛が生えたものも販売している店がいくつかありました。日本の肉屋ではまったく見かけぬ商品です。この気味の悪いものは何ですか、と聞いたら、水牛の脂身付きの皮を干したものだ、とのことでした。じっくりと火であぶってから噛みしごくと旨い、との話でした。しかし、あらためて剛毛を見ると、とても歯が立つとはおもえず、試し食いをする気持ちになれませんでした。

　また、古い建物に隣接する広大な場所に、これまた古ぼけてくすんだビニールが屋根がわりに張ってありました。何十本もの簡易な柱で、そのビニールの屋根を支えています。その屋根の下では、メコン川で獲れた魚と、近在の農家で栽培しているあらゆる種類の野菜類、それと熱帯の果物類を売っていました。魚を売る店では、両腕で抱えるほどに大きな川魚を店の女性がごつい木の俎板の上に寝かせて、みごとな包丁さばきで三枚におろしていました。ビエンチャンでの日常の食生活で海の魚介類がないのは、魚好きの私には寂しいことでした。しかし、タラート・クワディン市場で買ってきた魚を家で焼いたりフライにしたりしてもらいましたが、旨かったです。とれたて感一杯の市場では、店の商品とそれを売る人々を眺めて回っているだけで、気持ちが明るくなってくるのでした。

　買い物に縁の薄い私のような人間が訪ねてもラオスの市場が楽しいのは、そこで売られている

水牛の脂身付きの皮を干したもので、見た目は不気味。火に炙ったものを、口中で時間をかけて噛むと旨い、らしい。

ものが、畑で採れたての野菜類、農家の庭でつい先ほどまで生きていた豚や鶏たち、近くの川で獲ったばかりの魚類など、第一次産品ばかりだからです。これは、東京のスーパー・マーケットなどのように、圧倒的な数の加工品類が並ぶスペースの片隅に、選別されて見た目の良い野菜類が並んでいる風景とは、まったく別種のものです。同じトマトや唐辛子でも、形も大きさも、色までが不揃いなものが、各野菜の山に盛られています。

それともう一つ、売り手が日本とは違います。タラート・クワディン市場の売り手は、野菜を耕し、鶏、豚、牛、水牛を飼う（といっても、大概は村内や畑、川岸に放し飼いですが）農家の女性たちであり、川で魚を獲る漁師（農家の兼業かもしれませんが）の女性たちです。彼女たちは、販売に際して、特別なセールス手法も話法も使いません。自分たちが育てた野菜や家畜、あるいは川で獲った魚を、まるで物々交換でもするようにして、市場に並べているのです。

衛生面を心配する人がいるかもしれません。しかし、我が家はビエンチャンに滞在した二年間、肉、魚、野菜類は、基本的にこの市場で購入していました。おかげ様で何ごともなく、おいしい食事をとり続けることができました。

しかし、時代の波はビエンチャンにも押し寄せていて、市場に隣接して、鉄筋の建物の建設工事が始まりました。完成したら、市場の店をこの建物の中に移す、ということでした。そこで、二〇一九年八月初旬、工事の進捗度合いをラオスの知人にメールで聞いてみました。すると、建設会社の財政的な事情で現在は工事が止まっているとのことでした。どうやら、財政難に陥ったラオスの建設会社に替わって、中国の資本投下がなされるんだとか。ここも、しばらくしたら、香港の湾仔街市のように、「昔と違って清潔で、ショッピング・モール並み」などと紹介されるようになってしまうのかもしれません。

今なら、まだ間に合います。ビエンチャンを訪れたら、朝、タラート・クワディン市場を訪れてみることをお勧めします。早朝の托鉢の静けさを体験した後、タラート・クワディン市場の地元住民の賑わいを味わってみると、人間の尊厳のようなものを感ずることができるかもしれません。

南部で見つけた豊かなアジア、タラート・ダーオファン

ラオスの都市にある市場を、もう一つだけ紹介します。ラオスの最南端に位置するチャンパーサック県の県都、パークセーにあるタラート・ダーオファン市場です。広大な敷地面積の市場で、メインとなる中央の建物内では、日用雑貨や服飾品をはじめ、人々が必要とするあらゆる品物を販売しています。

しかし、旅行者にとってのタラート・ダーオファン市場の見ものは、何といっても市場の東側に広がる生鮮食品売り場です。南国の色とりどりの果物から始まって、日本人には草や木の葉としか思えないようなものも含めたあらゆる野菜類、豚、牛、鶏の肉、さらに、角切りにした棒状の、皮に剛毛がついたままの水牛の脂身を干したものも売っています。生きたカモ、市内を流れるメコン川で獲れる魚なども青空市に並んでいます（口絵7頁）。川魚についていえば、ビエンチャ

ンよりも種類が多く、大型の魚もいます。特に、大型のナマズが豊富に出回っているのです。パークセー辺まで来たら、川魚料理を味合わない手はありません。さて、ここまでは、いいですよ。

さらには、タニシのような貝類、蛙、トカゲ類などが並んでいるのです。私は昔、中国の広東省の広州で、清平(チンピン)市場を訪ねた時、ヘビはもちろん、アルマジロみたいな動物や、ケージの中に子猫を閉じ込めて売っているのを見て、ひるんでしまったことがありました。そして、「四足の動物は、机と椅子以外は何でも食べる」という、広東人の食に対する貪欲さを揶揄する言葉を思い出しました。しかし、ラオス人も負けてはいないようです。次の章では、オケラ、ゲンゴロウ、タガメ、ヤゴを獲る人々を紹介することにします。

なんだか、アジアの食の豊かさに目がくらむ思いがしてきます。

山には山の市がたつ

ラオスの大きな町、ビエンチャン、ルアンパバーン、サワンナケート、パークセーなどは、すべてメコン川沿いの河岸平野、あるいは盆地に開けています。そして、どこの町にも大なり小なりの市場があります。

しかし、ラオスの国土の約七割は山地です。かつ、山の中腹にも高地にも村があり、人々が住んでいます。そして、そんな山地にも、小さな市がたつのです。

ある秋の日、ルアンパバーンからボートでメコン川を遡り、ウドムサイ県のパークベンという

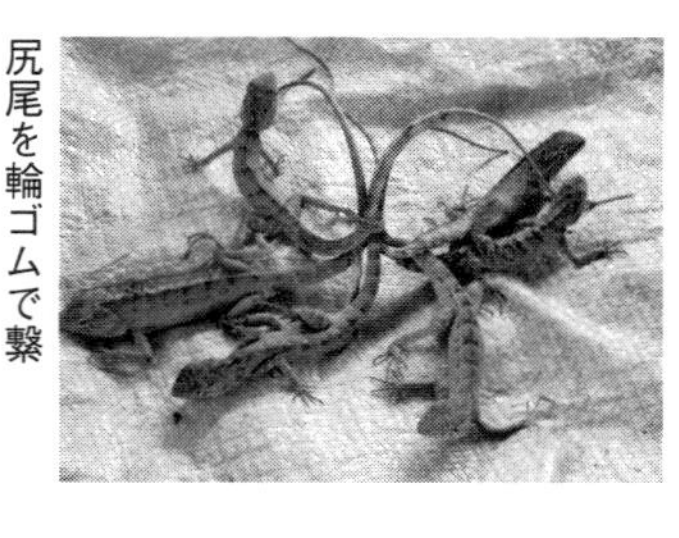

尻尾を輪ゴムで繋がれた六匹の蜥蜴君たちは、運命共同体。誰もまだ、自分たちの半日後の運命を知らないようだ。

町の外れに建つロッジで一泊しました。翌日は、主にサイニャブリー県の山の中を二八〇キロ、ミニバンで走りに走って、ルアンパバーンに戻ってきました。つづら折れの細い山道は、舗装もされていない土の道でした。雨季になったら、どうなってしまうのでしょう。それに、対向車が来たらどうするのだろうと気になりました。山中で対向車に出会うことは、とうとうありませんでしたが。

そんな山中の峠道に、簡易な柱と屋根だけの吹きさらしの建物があり、それが山の村人たちの市場でした。私たちが通りかかった時、客の誰もいない市場には売り子ばかりがたくさんいましたが、女性と子どもばかりでした。木で作った簡易な販売台の上に並ぶのは、野菜類、籐(とう)の木を一メートルほどの長さに切ったもの、それに、リス、ネズミ、イノシシ、キジなどの、山の森の中に生息する動物たちでした。これほどに〝新鮮な〟森の動物は、ビエンチャンのクワディン市場でも、パークセーのダーオファアン市場でも、他のどこの町の市場でも見たことはありませんでした。森に棲む動物たちの多くは、保護のために、法律で捕獲が禁じられているので、首都や大都市の市場には出てこないのです。しかし、山の民である少数民族の人たちの場合、そのへんが大目に見られている風でした。彼らは、ずっと昔からそうしてきたのです。おそらく、彼らのマーケットの中だけで物事が回る限りは、自然のバランスが崩れることもないのかもしれません。人工的な流通組織が介入する余地のない、生の取引の場です。ラオスの山中の森で、命が巡っているとでも言うのでしょうか。ここでは、捕鯨に関わるような国際的な論争が湧きおこる余地は、皆無です。

山の市場の売り子たちは、老若の女性ばかり。

それにしても、ここまでの道中で、対向車にまったく出会いませんでした。これらの商品を、いったい、どこから、誰が買いに来るのでしょう。私たちを案内していたルアンパバーン在住の英語ガイドが、籐(とう)の木を自宅用にとごっそりと買いこんでいました。若い籐の木は食べられるので、スープの具にするのだそうです。思い切り都市化してしまった私のような人間には、まったく手の出しようがない市場でした。

再び車に乗り込み、しばらく走って、山道沿いにあるモン族の村に立ち寄りました。戸数は七戸とのことで、村の敷地には、小犬も含めてたくさんの犬が散らばっていました。私たちが村に足を踏み入れた途端に、身体の大きな犬が激しく吠えかかってきて、狂犬病のことが頭をよぎり、私は怯(ひる)んでしまいました。すると近くにいた村人らしき中年の男性が、無言で足元の棒切れを拾い上げると、吠えた犬に向かって容赦なく投げつけました。棒切れはみごとに犬の頭を直撃し、犬はキャン!と、情けなく叫ぶと、家の裏手に逃げ去りました。なぜこんなにたくさんの犬がいるのかガイドに聞いたら、何の感情もこもらぬ声で、「食用」と答えていました。何と申しましょうか、私が狂犬病を怖がるよりも、犬たちにとっては、人間こそがもっとも恐ろしい動物なのでした。

家は、ラーオ族のような高床式でなく、地面から木壁が立ちあがる平屋で、屋根は、葦のような藁葺きと、塩化ビニールの波板をかぶせたものと、二種類が混在していました。いずれも、寄(よせ)棟造(むねづくり)の形式の屋根でした。家の中には入りませんでしたが、土間なのだそうです。おもしろかったのは、各家の表と裏と、二カ所に入り口があることでした。そして裏の戸口の左右に、すっか

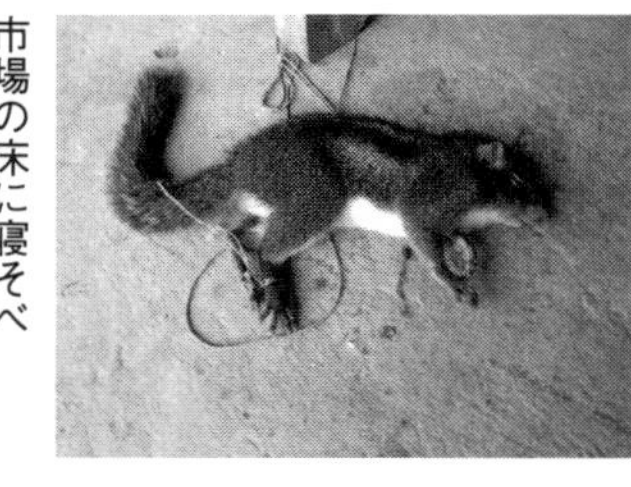

市場の床に寝そべるリス君は昼寝中、ではありません。合掌。

り枯れ切った植物が、ちょうど日本の神社で鳥居の左右の柱に榊の木を飾るように飾ってあることでした。裏の戸口は山の精霊が出入りするための専用で、普段は閉め切りとし、祭りの時だけ開けるのだそうです。ビエンチャンの町には、あちこちに精霊を祀るための祠があります。しかしいずれの祠も家の外にあり、人は外に出て、精霊を祀ります。他方、モン族が家屋に精霊のための出入り口を設けているということは、開けるのは祭りの時だけとはいえ、モン族の人たちの精霊に対する親密さを感じさせます。

ここの村人たちは、以前は、もっと高い山の上に住んでいたのですが、子どもたちの教育もままならないため、この峠まで降りてきたとのことでした。とはいっても、まだ十分に山の中なのです。

山の市場といい、モン族の村といい、「ラオスは、山国だ」と、つくづく感じた旅でした。

コラム　市場が天秤棒を担いでやって来る

私たちが外国に旅をする楽しみというと、自分が知らなかった文化に出会う驚きがあります。他方で、かつて日本にもあった文化に出会う懐かしさもありますよね。ラオスにも、そうした生活の営みが残っています。たとえば、町中を、天秤棒を担いで商品を売りに来るおばちゃんたちです。天秤棒を担いだおばちゃんたちが来てくれれば、市場が向こうからやって来てくれるわけです。

ビエンチャンで私が住んでいたのは、町の中心を東西に貫く大通りの一つ、サームセンタイ通

モン族の平屋の家屋。精霊のための裏口の扉の左右には、枯れた植物が飾ってある。

りに面したアパートでした。毎朝、私が通勤のためにアパートを出る八時一五分過ぎ頃、天秤棒を肩に担いだおばちゃんたちが何人か、アパートの並びの各商店に声を掛けて、小商いをしているのです。天秤棒の前後の籠の中に入っているのは、様々な野菜や果物や川魚、羽をむしり取られたニワトリなどです。家庭の食卓に上ったり、飲食店の料理の食材となります。最初にラオスに到着して、しばらくのホテル住まいの後、そのアパートに入って早々にこのおばちゃんたちに出会った時、私は懐かしさがこみ上げてくるのを覚えました。

ただし私が懐かしさを覚えた日本の天秤棒の一つは、少々鼻を摘まみたくなる類の話でした。とうの昔に亡くなった私の祖父は、生前、神奈川県川崎市の自宅の近くに狭い畑地を借りて、野菜を作っていました。今から半世紀以上前の話です。その野菜の栽培のために、我が家の便所の肥溜めからすくい上げた糞尿を、二つの桶に入れて天秤棒の前後に吊るし、担いで畑まで運んでいました。京浜工業地帯の住宅街の畑でそんな具合でしたから、当時、日本の田舎では天秤棒が広く使われていたのだろうと思います。

祖父の畑仕事以外で私が天秤棒の姿を見たのは、日本の江戸時代の浮世絵などの中でした。「棒手振り（ぼてふ）」と呼ばれて、魚や野菜を入れた木桶や籠を前後に吊るした天秤棒を、男が担いで売り歩いたのです。日本で、いつ天秤棒文化がほとんど滅んでしまったのか、私は知りません。少なくとも半世紀前の東京周辺には、かろうじて天秤棒が生活の中に残っていました。

私は、二〇一六年一月からラオスで生活をはじめて、その年の四月、ビエンチャンの酷暑に耐えかねて、休暇を取ってベトナムのハノイに旅をしました。そして、ビエンチャンよりもはるか

東京江戸博物館の「江戸ゾーン」にある天秤棒をかついでみた。ベトナムやラオスの女性に較べると、様にならない。

に大都会のハノイの雑然とした町中で、天秤棒を担いだおばちゃんたちに何人も出会いました。彼女たちは、ラズベリーのような紫色の小さな実を、前後に吊った籠に溢れんばかりに盛って、足腰をしなやかに使って歩いていました。

また、司馬遼太郎が一九八四年に福建省に旅をして、天秤棒を担いだ一五、六の娘や、中年婦人に出会った愉快な体験を『街道をゆく』に書いています。私は、これらの場面を読むたびに気分が明るくなってしまうのですが、ここでは、中年婦人との出会いを紹介します。司馬が福建省を旅して、泉州の町のホテルに到着した時に出会った光景です。「私どもは、まわりに市場のある古い市街地に入り、新築早々のホテルに入った。ロビィは華僑の旅客で混雑していたが、やがて、『いよっ』と（そう聞こえた）気合一声、への字に撓った天秤棒の前後の荷をかばいつつ、腰をばねのようにはずませた中年婦人がフロントへ闖入してきた。泡を食ってロビィに群れていたひとびとは道をあけた。彼女は、やわな人民服などは着ておらず、黒っぽい伝統的な農民服を身につけ、笠をかぶり、力士のような足で床を踏みつづけている。ホテルと契約しているクリーニング屋なのである」*。司馬の、硬質でいて柔らかみのある文章を読んでいるだけで、天秤棒を担いでホテルのロビィに仁王立ちするおばちゃんの姿が目に浮かぶではありませんか。どうやら、インドシナ半島や中国には、天秤棒の文化がまだ残っているようです。

ただ、同じ天秤棒の文化といっても、国による違いもあるのかもしれません。私の祖父の例もそうですが、日本の浮世絵などに残っている江戸時代の棒手振り商人は、私が知る限り、男性です。それに対して、ビエンチャンとハノイで私が出会った商いの人たち、そして『街道をゆく』の中

ハノイの街角、ラズベリーの様な実を山のように盛った籠を吊って、しなやかな腰つきのお姉さん。

＊『街道をゆく　中国・閩のみち』朝日新聞社

国で司馬が出会った愉快な女性たちは、すべて女性でした。違いを言うには、取りあげた例が少な過ぎるという指摘を受けそうですが、天秤棒を担ぐ人の性別の違いは、私にはずいぶんと印象的でした。ただ、この違いがどこからきているのか、ラオス、ベトナム、中国では共通していて、日本とは何が違うのか、想像もつきませんが。

それにしても、ラオスのおばちゃんたちが、前後にぶら下げた籠に入った商品の重みにしなう天秤棒を担いで大通りを歩きながら小商いをする後ろ姿をみるにつけても、肩やら腰やら、たくましいなぁ、とため息をつかざるを得ません。

第七章

メコンはラオスの母なる川

メコン川上流、漁をする男性

椎名誠のメコン川

ラオスから帰国後、自宅の近くにある小さな図書館で、書架に並ぶ椎名誠の本を漠然と見ていたら、『メコン・黄金水道をゆく』*という背表紙の題名が目に飛び込んできました。早速に借りて自宅に帰り、読んでみました。二〇〇三年に、椎名誠が、メコン川に沿ってラオスの北部の町からカンボジア、そしてベトナムへと下る四五日間の旅をつづった紀行文です。二〇〇三年といえば、ラオスが新国家を建国してからの生みの苦しみを経て、**外国からの旅人にようやく国を開放してから一〇年ほどです。現在の状況とは、社会も、そこに住む人々の様子も、そして旅行事情も、ずいぶんと違っていたのだろうと推測します。約二五〇ページの単行本の半分は、ラオスでの滞在に当てられています。書いてあることはとりとめのない椎名節ですから、概要を紹介しても意味はなく、興味がある人には読んでいただくしかありません。ここでは、私が気付いた二つのことを紹介します。

一つは、紀行文の最初のほうで、椎名がビエンチャン到着時を書いた次のような文章です。「ラオスには見るものは何もない、とこの国を知るいろんな人に聞かされていた。(中略)空港から市街地へ向かう途中の風景はアジアのよくある田舎の町や村というだけのもので、なるほどたしかに『これは!』というものは何もなかった」。ここを読むと、村上春樹の紀行文の題名を思い出しますよね。しかし、椎名は、「アジアのよくある田舎の町や村」と、何の悪気もなく書いていますが、ビエンチャンは、痩せても枯れても一国の首都なんです。にもかかわらず、椎名に「田

*集英社

**一九七五年にラオス人民民主共和国が成立した直後から、ラオス新政府は反政府勢力の反乱の鎮圧と、隣国タイとの国境紛争に直面しました。また、西側諸国からの経済援助が停止される中で、農業の集団化や商工業の国有化などの社会主義に基づく施策の展開をはかったが、うまくいかずに経済の混乱に苦しみ、社会主義諸国間の不和がその苦しみに拍車をかけました。一九八〇年代に入ると、社

舎の町や村」、と言われても、私はちょっとうつむいて、「ソダネー」と呟かざるを得ないのが、ビエンチャンです。ただ私は、インドシナ半島にある各国の首都の街が、高層の人工建築物競争に走る姿を見ていると、「ビエンチャン、ガンバレ！　中央通りの二階建ての家並みを、崩すな！」と、応援したくなるのです。「ちゃちな都会となるよりは、大いなる田舎町となれ！」、です。

さて、二つ目は、椎名誠が「あとがき」で書いていることです。椎名によると、世界には①日本の川、②スコットランドの川、③アマゾンやメコン、という三つの種類の川がある。スコットランドを流れるスペイ川は、「たとえば農薬を流さないようにこの川は全域にわたって川岸から五百メートル以上離れないと畑を作ってはいけない、という法律がある。さらにダム建設や不必要な護岸工事もほとんどなされていないし川にゴミを捨てるというバカなことをする人もいないから流域全体が自然のままの美しい景観を保っている。」他方、日本の川は、「細長い日本列島の真ん中に分水嶺があるので流れは急峻で河の長さも短い。ゆえに源流から河口まで短い距離をかなり透き通った水が流れている。（中略）しかし日本の川は世界でも最高の密度といわれるほどの沢山のダムがつくられており、徹底した護岸工事によって自然の流れはいちじるしく歪められている。農薬や産業廃棄物や家電製品などの不法投棄があってケミカル汚染され（中略）」これに対してメコン川は、「この川に生死を委ねている夥しい数の人間がいた。さらに圧倒的にそれ以上の数の動物、魚介類、虫や爬虫類、植物がこの川と一緒に生きている。（中略）旅をしているあいだこの褐色の暴れ川が私には常に生き生きとして魅力的に見えた。」

なんだか、日本の川が可哀想になってくるような評価の仕方です。「三種類の河川説」は椎名

会主義政策を修正して、市場主義経済の導入を試み、また、一九九〇年代に入ると、中国やタイとの関係が改善し、一九九七年にはＡＳＥＡＮに加盟し、貿易や観光促進においても、ラオスは新たな局面に入りました。

誠の極めて個人的な評価ですから、私たちは、日本の河川について弁護をすることもできるでしょう。ただ、この「三種類の河川説」は、欧州で産業革命から二〇〇年以上をかけて経済発展を遂げた国と、アジアで急速に経済発展をした国、そして、「後発開発途上」国とを比較して、自国を流れる川の実情に向き合う人々の姿の差のいくばくかを反映しているのではないでしょうか。椎名誠は、黄金水道をゆくメコンの旅で、そういうことをたっぷりと感じたようです。

前置きが長くなりましたが、メコン川です。ラオスの国土面積は、日本の本州よりも少し大きいくらいです。日本の本州は、『ブリタニカ国際大百科事典』によれば、下北半島の先端から関門海峡まで、約一五〇〇キロだそうです。そして、日本で最長の信濃川の長さが、三六七キロ。これにたいして、チベット高原に源を発するメコン川の全長は約四三五〇キロ、そのうちラオスを流れるメコン川は、北の中国国境からラオスに流れ込み、南端の国境からカンボジアに流れ出るまで、約一九〇〇キロです。つまり、下北半島から本州を縦断して、関門海峡に流れ込む川が仮にあったとして、それよりもなお四〇〇キロも長いのです。「メコンは、ラオスの母なる川」と言われるゆえんです。くどくて済みませんが、椎名誠のメコン川の記述を再度書きます。「この川に生死を委ねている夥しい数の人間がいた。さらに圧倒的にそれ以上の数の動物、魚介類、虫や爬虫類、植物がこの川と一緒に生きている。（中略）旅をしているあいだこの褐色の暴れ川が私には常に生き生きとして魅力的に見えた」

さあ、メコン川について、書かないわけにゆきません。

沖合を遡って行く我がクルーズ船に手を振ってきたnaked boys!!

上流域——森と山と人々

まずは、メコン川を上流に遡ってみましょう。ルアンパバーン発で、パークウー村のタム・ティン仏像洞窟を訪れるロングテール・ボートによる半日の船旅は、すでに書きました。今回は、ルアンパバーンから上流に向かう一泊二日の船旅です。本来の船旅は、パークベンという所で一泊し、二日目にタイとの国境の町、ファイサーイまで行きます。ヨーロッパ人が主体の船客たちは、ファイサーイからメコン川を越えてタイに渡り、インドシナ半島の旅を続けるのです。しかし私は、二日目にパークベンから陸路をルアンパバーンまで戻ってきました。ヨーロッパ人のような、一カ月、二カ月の休暇を取ることはできません。

さて、この旅で乗船するボートは、ロングテール・ボートよりも一回り大型です。真ん中の広い通路を挟んで、船首に向かって右側に、向かい合わせで四人用の座席、左側に同じく二人用の座席があります。木造りの座席ですが、尻と背にクッションが入っているので、長時間座りっぱなしでも、疲れません。また、ロングテール・ボートは、ボートが進んでいる間は自分の席に座りっぱなしですが、操舵室の後ろにベッド・タイプの横になれるスペースがありますし、船首には椅子を置いた眺望スペースがあり、最後尾には、ちょっとしたラウンジのようなスペースもあって、自由に移動できます。要は、快適な船旅です。

今回の船旅は、妻と長男と私で、それ以外は、ドイツ人、イギリス人、スイス人のカップルや

メコン川上流、買い物帰りの家族？

グループでした。船は、ルアンパバーンの桟橋を出ると、一路、パークウー村の洞窟に向かいました。そして、洞窟を見物した後、さらに上流へと進んでいきました。一一月下旬の乾季です。茶褐色に濁った川はごつごつと流れていますが、船はほとんど揺れることもなく、快調に進んでいきます。一二時過ぎに、船上でのビュッフェ・ランチとなりました。春巻きと、ルアンパバーン風野菜炒めのような料理が、なかなかに美味でした。

午後一時過ぎ、この日二番目の上陸地であるバウ村に到着しました。低地ラーオ族と、少数民族のタイルー族が共存する村とのこと。村を一周してみましたが、高床式の簡易な木造住宅が十数軒建っていました。村の子どもたちが屈託なげに遊びまわり、豚や犬や鶏が、所在なげに歩き回っていました。この村でも、ルアンパバーンの夜市と同じように、少女を含む女性たちが、家の前で主にコットン製品を広げて販売していました。中には、織機を外に据えて、手織りを実演している女性もいました。要は、〝観光化〟した村です。ここでも成人男性の姿は見かけません。野良仕事に出ているのでしょうか。

その女性たちですが、私たちが通りかかると、商品を販売すべく、声をかけてきます。ところが、客が手を左右に振って「いらない」という身振りをすると、すぐに売ることを諦めてしまうのです。客が呆れるくらいに、淡白な販売です。あまりにも押しに欠けているので、セールス技術の先生でも連れてきてあげたいような気分になります。しかし、そんな心配は不要なのかもしれません。家内が、綿のスカーフを一枚購入しました。五万キープ（約六五〇円）でした。また長男は、同じ値段の木製の枕を購入しました。木の枕なんて、江戸時代ではあるまいし、彼はいったいど

バウ村の女性たち。子供から大人まで、みんな長い髪と巻きスカートのシン。

うするつもりなのでしょう。ちなみにその枕は、一年前に亡くなった彼女の祖父が作った、最後の一個なのだそうです。いずれにしても、買う外国人にとってはお買い得感があり、売る村人にとってはまずまずの現金収入になる、ということなんでしょうか。ビエンチャンにおける私の外食の昼飯代が一万五〇〇〇キープ（約二〇〇円）でしたから、バウ村のような田舎での五万キープ、ドルにして六ドルは、悪くはない収入だと想像します。

バウ村を出発すると、船は今夜の宿泊地であるパークベンへと、四時間のひたすらな航海です。進む方向に、山が現れてきたかと思うと、いつの間にか船は峡谷を遡っていました。川幅も狭まり、両岸には木々が生い茂っています。ラオスはインドシナ半島で唯一の内陸国であり、かつ、国土の七割が山岳・高原地帯という山国です。普段ビエンチャンに住んでいたり、南に下ってサワンナケートやパークセーなどの町があるメコン川の河岸平野にいると、山国の実感がまったく湧いてきません。しかし、この辺まで遡ると、下流域にあるような河岸平野は開けておらず、山また山の風景です。そこに住む人々も、中・南部の河岸平野部で多数を占めるラーオ族よりも、山の中腹や高地に昔から住んできたクム族、モン族などの少数民族が多数を占めています。

通り過ぎてゆく両岸を眺めていると、雨季には水底に沈んでいたはずの河川敷が、乾季の今頃は姿を現しています。そして、沿岸にある村の住民たちは、メコン川が上流から運んできた河川敷の沃土を耕して野菜類を栽培しているのです。岸辺から川に張り出したあちこちの木々には糸が張り巡らされ、魚を獲る仕掛ける空のペットボトルが浮いているのが見えます。時に砂の河川敷があり、そこにうずくまって何かをしている人の姿がありました。乗船している英語ガイドに

メコン川の上流は、川岸になだれ落ちるような山林の姿がおどろおどろしい。

聞くと、土砂の中に棲むｃｒｉｃｋｅｔを獲っているとのこと。何だろうと思って辞書を引いたら、コオロギ、ケラとありました。土砂の中にいるのだから、オケラでしょう。食用とのこと。また、岸辺近くの水に入って、ザルを両手に抱えて川底をさらっている人たちがいました。こちらは、砂金を探しているとのこと。砂金探しと言ったって、ザル一つ使っての作業なので、アメリカの西部開拓における砂金採掘者の殺気立った様子とは縁遠く、まるでおとぎ話のような風景です。

浜辺で水遊びをしていた素っ裸の少年たちが、我々の船を見つけて、手を振ってきました。また、川岸に放牧された牛や水牛が、水浴びをしたり砂浜を歩き回っていたりで、こちらはさすがに手を振ってはきませんが、ノンビリとしたものです。このようなメコン川の川沿いの村で生活をしている人々の日常の意識というものは、私のような想像力に欠けた人間には、思いもよりません。しかし、彼らの日常の生活が、その多くをメコン川に負っているであろうことは、容易に想像ができます。

さて、自分の席にじっとしていることに飽きたら、船首の操舵室の前のスペースに置かれたベンチに座って、風を切ってみるのもいいでしょう。船が進んでゆく前方に広がる風景に、心も広々としてきます。あるいは、船尾のラウンジのソファの背にもたれて、流れ去ってゆく森と山とメコン川の流れに名残を惜しむもいいでしょう。さらには、操舵室の背後に設けられたマットレスに横になって一休み、という手もあります。すべては、メコン川の流れのように、です。誰も、あなたを邪魔しません。

大きな水切りザルで川底の砂を掬い、砂金を探す、沿岸の村人。ラオスの輸出産業の第一は、金、銅の鉱業ではあるが。

船は夕方五時半頃に、パークベンに到着します。私たちが利用した船の宿泊地は、パークベンの町から外れた河岸の山の麓に建つ木造りのロッジでした。桟橋といっても、例によって、陸地の砂浜と船べりとの間に板切れを渡すだけです。その桟橋で、ロッジの従業員の男女が、荷物を運ぶために我々船客を待っていてくれました。彼らが着ていた藍染の衣装が夕暮れの薄闇の中に浮かび上がり、目の覚めるような思いでした。

フロントやレストランのある棟も、ロッジの宿泊棟も、すべて木造りの平屋で、山の緑の中に溶け込んでしまいそうな宿泊施設でした。チェックインをした後、自分たちのロッジに入って木の窓を開けたら、眼下にメコン川と私たちが乗ってきた船が見えました。さすがに、川風を浴びての一日の船旅の疲れが出てきました。そこで、恐る恐るシャワー室に入ったのですが、栓をひねると、まずまずの勢いで湯が噴出してきました。全身に湯を浴びて、ようやく落ち着きを取り戻しました。

夕食は、フロントのある棟で、ビュッフェ・スタイルでした。ラープ*と生春巻きが、特に美味しかったです。この宿泊施設は、パークベンの町から外れているため、町の灯りはまったくありません。しかし、食事の後ロッジに戻りながら星空を見上げたのですが、少し雲も出ていて、あまりたくさんの星は見えませんでした。やむを得ずテラスに戻って、よせばいいのに、パソコンを開けて日本の新聞を読んだり、フェイスブックを書き込んだりしていました。

九時を過ぎた頃、ロッジを出て、あらためて空を見上げてみました。すると、雲は去っていて、まさに満天の星空でした。四方を山に囲まれているため視界は限られていましたが、冬の空の主

一日がかりの航海、うたた寝で見るメコンの夢は、何？

*ラオスを代表する料理。牛、豚、鶏、魚、家鴨などの肉をミンチにするなどして、香草などを混ぜて、炒める

役であるオリオン座の一等星のベテルギウスとリゲルはもちろん、三ツ星までがしっかりと見えました。そればかりか、オリオン座の大星雲を含む小三ツ星も見え、さらに、ぎょしゃ座、ペガサス座などを確認できました。久しぶりに眺める、本当の星空でした。ビエンチャンの我がアパートから眺める星空の状況は、東京の我が家から眺める星空と、さほど変わりがありませんでした。この星空を眺められただけでも、この船旅に出てよかった、という思いで、熱帯の冬の星座群に眺め入りました。

中流域——首都を流れる国際河川

メコン川は、その源を中国のチベット高原に発します。そして、雲南省の山岳地帯を縫って下り、ラオスとミャンマーの国境に流れ込みます。しばらく両国の国境を流れてから、ラオスとタイの国境に続きます。そこから両国の国境を流れたり、時にラオスの国内に入り込みながら、ラオスの南端でカンボジアに流れ込みます。カンボジアを流れ過ぎてベトナムに入ると、広大なデルタ地帯を形成し、最後には南シナ海に流れ出しています。チベット高原の源からベトナムの河口まで、その長さが約四三五〇キロです。うち一九〇〇キロがラオスを流れています。メコン川が、ラオスの〝母なる川〟と呼ばれる理由の一つです。

ちなみに、中国では、メコン川の水源（「源頭」と呼ぶそうですが）からチベット自治区の町、昌都（チャムド）までを扎曲（ザチュ）と呼び、そこからラオス、ミャンマーの国境までを瀾滄江（ランツァンジャン）、そして、国境からベトナムの河口までを湄公河（メイコンフー）と呼んでいるのだそうです。文献＊によれば、「瀾滄江（ランツアンジャン）の語源は諸説ある。（中略）また、昔は雲南省南部シーサンパンナー周辺のメコン川両岸には象が多数生息していたため、タイ語・ラオ語で『百万の象の川』という意味の『ナム（川）・ラーン（百万）・サーン（ラオ語で象。タイ語ではチャーン）』と呼称されていた。その発音を漢語に置き換えて書いた際に『瀾滄江（ランツアンジャン）』となったという説もある。（王清華、二〇〇四年）。一般には後者が有力だ」

なんと、ここにも「ラーンサーン」があったのでした！

さて、メコン川がラオスの〝母なる川〟と呼ばれるもう一つの理由は、メコン川が昔から今に至るまでラオスの人々の生計に深く関わってきたことが挙げられます。ラオスの人々ばかりでなく、メコン川はラオスの山川草木やあらゆる生物の営みに深くかかわってきました。

ところで、私はビエンチャンに住んでいた時、週末の朝は少し早起きをして、メコン川の土手道をジョギングしていました。同じ首都のジョギング・コースとはいえ、東京の皇居周辺とは違い、メコン川の土手をジョギングする人の数は知れたもので、たまに白人の、そしてまれに、ラオス人のジョガーとすれ違いました。したがって、私は誰に気兼ねをすることもなく、スロー・ジョギングで土手道を走っていました。

特に乾季に土手道を走ると、土手下の空地で採れたて野菜を売る農民に出会います。また、広大な河川敷で野菜を栽培する農民たちを遠望することができます。ラオスに来て、最初に彼らを見かけたとき、河川敷の草原で何をしているのだろうか、と思ったものでした。その河川敷も、雨季の間はメコン川の水底となってしまいます。その間に、上流から流されてきた肥沃な土がビ

＊北村昌之『メコンを下る』めこん

エンチャン周辺の岸辺に近い川底に溜まり、乾季になると、それが広大な河川敷となって姿を現します。その河川敷で、近郊の農民たちが様々な種類の野菜を栽培して、毎朝、地面に野菜を並べて売っています。正真正銘の、とれたて野菜です。農民たちがどこから河川敷に通ってくるのか私は知りませんが、彼らはこうしてメコンの恵みに浴しているのです。

ビエンチャンに私が着任して間もない頃、メコン川を下るようにしてドーンチャン通りを走っていて、川岸に一〇艘足らずの簡易な木造ボートが繋留されているのを見つけました。そして、二艘の木造ボートを並べた上に、小さな木造の切妻屋根の家を建てたものが三軒あったのです。ただ、簡易な水上家屋といっても、屋根は崩れそうにくたびれ切った草葺きとよれよれの青ビニール葺きで、〝壁〟も、どこからもってきたのか、ラーオ語の宣伝文句のような文字が書かれた剥がれかけのビニールでした。人影はまったくなく、捨てられた家なのだと思いました。ところが、別の日にジョギングでこの場所を通りかかった時、人の姿があったので私は驚きました。船の近くの浅瀬で、何人かの人たちが、四ツ手の魚獲り網を操って漁をしていました。釣り竿で糸を垂らしている人もいました。別の日には、簡易な木造ボートの船尾にエンジンを取り付けて、沖へと出ていく人を見ました。私は、〝遠洋漁業〟に出ていくのかな、と思いました。どうやら、三軒の家も木造ボートも現役で、魚を獲って生計を維持している人々が住んでいるようなのでした。ビエンチャンという首都の中心で、河川敷の畑で野菜を栽培する人たちや、川岸に繋留した家に住んで魚を獲る人たちがいるのでした。

私は、彼らの生活の仕方を羨んでいるわけではありません。ビエンチャンの住民の圧倒的多数

乾季の野菜の朝市。市場の背後の河川敷で栽培した、文字通りのとれたて野菜。

の人々も、彼らのような生活をしていません。私のように、東京のマンションに住んで、夏は冷房、冬は床暖の生活でふやけ切った心身の人間が、これほどメコン川に依存する人々の生活に耐えられるはずもありません。ただ、自然に合わせて寝起きするような生活をしているらしい彼らは、自然が発する音や匂いや色、自然の触感を知っているのだろうと思うのです。そして、彼らが知っている自然の音や匂いや色や感触を、私はもう彼らのように知ることはできないだろうと思うのです。

首都ビエンチャンを流れるメコン川は、文字通りの国際河川です。川の向こう岸は、タイ東北部のノーンカーイ県のシー・チェンマイの町です。私がビエンチャンに着任して間もない頃、夕方になると近くの土手に出かけて、メコン川の向こう岸に沈んでゆく夕陽を眺めるたび、「夕陽がタイに沈んでいく」と自分に言い聞かせたものでした。

隣り合う二国間の関係を親密さをこめて、中国の故事から「一衣帯水(いちいたいすい)」という言葉で表すことがあります。私は、中国の政治家が自国と日本との関係を言うのにこの言葉を使った記事を新聞紙上で見る度に、東シナ海という大海を挟んだ両国が一衣帯水の位置関係とは、白髪三千丈(はくはつさんぜんじょう)の世界だな、と思ったものでした。メコン川を挟んで隣接するラオスとタイのような位置関係こそ、文字通りの一衣帯水なんですよね。日常生活でタイを一衣帯水の地とするラオス人は、夕方、メコン川の土手に立っても、「夕陽がタイに沈んでいく」などとは思わないのでしょう。

漁網や釣り竿で漁をする人たちは、川岸に繋留された小舟に住む人々。

下流域──ワット・プー号でゆくメコン・クルーズ

メコン川について、私が個人的にもっとも思い入れがあるのが、ラオス南部のクルーズ船による旅です。船の名は、ワット・プー号。ラオスに三つある世界文化遺産の一つ、「ワット・プー遺跡群」*の名からとりました。

私が初めてこの船を知ったのは、二〇一六年の二月末、ラオスに着任してひと月半ほどの時でした。日本から旅行会社の企画担当の人たちが視察旅行でラオスにやってきました。視察旅行自体は、私の着任以前に、ラオス政府が企画・手配をしたものでしたが、日本市場の担当ということで、私がラオス国内を添乗しました。その旅程に、ラオス南部を視察する日の昼食をクルーズ船の船上でとる、というプランがありました。

当日、ラオス最南部にあるチャンパーサック県の県都パークセーを貸し切りの中型バスで出発し、チャンパーサックという町を訪れました。後になって知ったのですが、一八世紀の初めにチャンパーサック王国が成立した時、都が置かれたのがこの地だったのです。チャンパーサックの町は、かつての王都とは想像もつかないように鄙(ひな)びていて、日本人の感覚からしたら、田舎の集落、としか言いようのない風景でした。

バスはメコン川沿いのそんな田舎道を走り、小さな仏教寺院の前で停まりました。ガイドについて寺院の裏手にある土手に出てメコン川を見下ろすと、岸辺に繋留された木造の大型船が目に入ってきたのでした。二階建ての、初めて目にするタイプの船、ワット・プー号でした。

*残りの二つは、「ルアンパバーンの町」と、二〇一九年七月に登録されたシェンクワーン県の「ジャール平原巨大石壷群」。

メコン川を行くワット・プー号の

岸辺と船の船尾甲板とに張り渡された幅三〇センチくらいの長板を恐る恐る渡って乗船すると、ガイドから最初にいわれたのが、「履物を脱いでください」でした。裸足になって木造の階段を上り、デッキに出ました。どこもかしこもフローリングの床で、私は木の感触を味わいたくて、靴下も脱いでしまいました。そして、外を無遠慮に裸足で歩くことの心地よさを、おそらく数十年ぶりに味わいました。

木は、床だけではありません。船のあらゆる部位の外装はもちろん、二階のデッキを覆う屋根、屋根を支える柱、デッキに置いてある卓、椅子、カウチ・ソファ、柱に取り付けた白色電灯を覆う笠、一階と二階を繋ぐ階段などのあらゆるカ所や備品類が、籐や竹で造られているのでした。また、二階建てのワット・プー号は、一階に一〇室、二階に二室のキャビンがあります。視察をさせてもらったら、床、壁、天井、ベッド、卓、椅子など、キャビンもすべて木でした。ここまで徹底するとは、ラオスもたいしたものです。

デッキには、昼食のための卓と椅子とが用意されていました。そして我々が席に着くと、船は静かに岸辺を離れました。昼食をとる間、周辺のミニ・クルーズをしてくれるというのです。ルアンパバーンから上流のメコン川とは違って、ラオス最南部のここまでくると、川幅ははるかに広々としています。チャンパーサックの集落の辺りまでは、はるかな岸辺の彼方に山の姿もまだ見えますが、河岸平野が広がって、風景がのびのびとして大きいのでした。

この時は、わずかに二時間足らずのワット・プー号でのクルーズでした。しかし、この船の印象とデッキから眺めた風景が忘れがたく、その年の夏、妻と一緒に、雨季のワット・プー号二泊

雄姿。船体の基本は鋼鉄船なので、木造りの外観に反して、安定感は抜群。

船尾側の二階デッキ。船客のくつろぎだけを目指して造られた、木造りの空間。

三日のクルーズに乗り込みました。さらに、そのクルーズの愉快さをもう一度味わってみたくなり、翌年の二月、乾季のクルーズも経験しました。

ワット・プー号の概要は、以下の通りです。ラオスで本船を所有・運航するメコン・クルーズ社の日本における総代理店である株式会社ジェイバから聞き取ったものです。

一．かつては、ベトナムと南ラオス間を結ぶチーク材運搬船であったが、一九九三年に、メコン川を旅するラグジュアリーな水上ホテルに生まれ変わった。

二．全長三四メートル、全幅七・五メートル、鋼鉄船にチーク材を組み合わせた船体に、いすずのディーゼル二六〇ＨＰエンジン二機を備えている。

三．各クルーズには、船長二名、整備士二名、料理人二名、清掃係三名に、バー、及び給仕係として五名を含む一四名のスタッフが乗船している。また、英語、フランス語及びタイ語のガイドが乗船している。

四．船は二階建てで、一階にはキャビンが一〇室、キッチン・ギャレーと空調付きのダイニング・ルームがある。二階にはキャビンが二室、バーおよび、広々としたオープン・エアの屋根付きデッキが、船首側と船尾側にある。また、国際標準を満たした安全設備を完備する。

五．船首側の二階デッキには、ラタン製のアームチェア、ソファ、コーヒー・テーブルやラウンジがあり、寝そべって読書をしたり、河岸の景色の写真を撮ったり、のんびり午後の昼寝ができる。

ツイン・ベッドの客室。ベッド、床、腰壁、窓枠、卓など、徹底して木造り。客室に付属するトイレやシャワー室も、同様。

六．船尾側の二階デッキには、椅子、ソファ、コーヒーテーブルに加えてバー・エリアがあり、紅茶、コーヒーや飲料水などを無料で楽しめる。また、ビール、ソフト・ドリンク、ワインやスピリッツなどを販売している。また、朝食と昼食は、ここで供される。なお、夕食は、一階にある専用レストランで供される。

七．全一二室のキャビンは、ツイン、またはダブル・ベッドの二人部屋。いずれのキャビンからも、窓を開ければ、メコン川の美しい景色を眺めることができる。全室空調完備、適温管理のためのファン、ドレッサー、機能的なクロゼットが備えてある。客室内のバス・ルームは、湯の出るシャワー、洋式トイレを備えており、スタッフが毎日部屋のクリーニングをする。

メコン川のラオスにおける下流域の様子を紹介するために、二泊三日のクルーズで私が体験したことを書いてみます。最初に乗った夏の雨季のクルーズをベースとして書きますが、冬の乾季のクルーズでの体験も織り交ぜました。

ねがはくは花のしたにて春死なん

ラオス最南部にあるチャンパーサック県の県都パークセーから、いよいよ旅が始まります。ホテルからクルーズ会社が差し向けたトゥクトゥクに乗って、町の中心地にある集合場所の「シヌーク・コーヒー・ショップ」まで行きます。シヌーク・コーヒーは、ラオスで、ダーオ・コーヒーに次いで大きなコーヒー・ブランドです。

＊パークセーのホテル発着の一人当たり旅行代金　US$五一八（四月～九月）、US$七三九（一〇月～三月）。

旅行代金に含むもの＝第一日目のパークセーのホテルからワット・プー号まで、三日目のワット・プー号からパークセーのホテルまでの送迎、二人で一キャビン使用の船賃、第一日目の昼・夕食、二日目の朝・昼・夕食、第三日目の朝・昼食、旅程に含む観光、英語・仏語ガイド付き。

パークセーの町から東に車で一時間ほど行くと、ボーラベンという高原地帯に入ります。フランスの植民地時代には避暑地として知られた高原ですが、コーヒーの産地としても有名です。それにしても、ヨーロッパ人は、どこの国に進出しても、高原地帯に分け入って避暑地を開くんですね。シヌーク・コーヒーのオーナーのシヌークさんも、フランスに関わりがあります。一九七五年の社会主義国家建国の時、まだ幼かったシヌークさんは、ご両親に連れられてフランスに亡命しました。その後、一九九〇年代に入ってラオスが開放政策に転じてからラオスに帰国し、ボーラベン高原にコーヒー園を開いて、商売を広げたのだそうです。

そのコーヒー・ショップで、クルーズの旅のチェックインをします。最初の夏のクルーズでの船客は、イタリア人、フランス人、オーストリア人、そして日本人でした。いつもヨーロッパからの個人旅行者が多いのだそうです。英語とフランス語のガイドが全行程に付いてくれます。書類に記入を済ませた後、コーヒー・ショップから歩いて五分の岸辺に繋留されているロングテール・ボートに乗船しました。本船のワット・プー号は、パークセーからボートで下流に一時間半行ったチャンパーサックに繋留されているのです。

この吹き抜けのロングテール・ボートの旅が、なかなか心地よいものでした。ここまで来るとかなりの川幅になるメコン川は、八月という雨季の真っ盛りで、茶色く濁っていました。そんな茶色い水の流れに乗って、ボートは進んでゆきます。ボートは岸辺から目測で一〇〇メートルと離れていない辺りに航路をとっていました。その岸辺には濃い緑が続いていて、時々、集落の家々が見えてきました。すると、子どもたちがボートに向かって、大きく手を振ってくるのでした。

中にはボートに並走して駆けだす子らもいて、そんな姿が家並みが切れるまで続くのです。岸辺から手を振る子どもたちの光景は、クルーズの最後の日までずっと続くこととなりました。

岸辺からさらに奥には、テーブル型の山が現れては後ろへと去ってゆきます。川風も心地よい。昼前に、チャンパーサックに到着しました。岸辺に横付けされた、二階建ての黒い船体に屋根付きの独特な姿態をしたワット・プー号が目に入ってきました。ボートが本船に横付けされて、私たちは本船に乗り移りました。そして、履き物を脱ぐと、裸足になって木の階段を上り、デッキに出ました。ワット・プー号の舟旅の始まりです。

デッキで船上生活の案内をガイドから受けた後、各自が割り当てられたキャビンに入りました。旅行バッグは、すでに自分のキャビンのドアの外に置いてあります。キャビンに入って、室内を点検しました。木造を基調とする本船の考えは、キャビンにも徹底しています。床はもちろん、壁の腰板、窓枠、ベッドの置台、椅子、造り付けの卓や収納庫、みな木造りです。さらには、トイレもシャワー室も床と壁は全面木張りで、天井は、なんと竹製の網代編みでした。窓も広く取ってあります。楽しいクルーズとなりそうです。

この日の予定は、これからデッキで昼食をとり、その後、上陸して、世界文化遺産のワット・プー遺跡群を見物に行くことになっていました。靴下も脱いで裸足で木の感触を楽しみながら二階のデッキに戻ると、すでに昼食のテーブル・セッティングができていました。昼食は、川風を浴び、メコン川の風景を満喫しながらのベトナム風料理。生春巻き、揚げ餃子、野菜炒め、スープ、卵料理と、欧米人好みらしく味付けされていましたが、どれも旨い。

昼食後、いよいよワット・プー遺跡へと向けて出発です。船から岸に渡した一枚の板を渡り岸に上陸すると、待っていた中型バスに乗り込みました。寺院遺跡までは八キロとのことで、バスはチャンパーサックの町を通り過ぎてゆきました。町とはいえ、私の目からすると完璧な村落ですが、一八世紀初めにラーンサーン王国が三つに分裂して南部にチャンパーサック王国ができたとき、この町が王都となったのでした。古都であったことがとても信じられないほど、静かな村の風景です。なお、三つに分裂した王国の都は、北から順に、ルアンパバーン、ビエンチャン、チャンパーサックでした。それぞれが、メコン川沿いに広がる町でした。ラオスでまとまった人口を養うために、メコン川が欠かせないのです。

さて、世界文化遺産に登録されたワット・プー遺跡群ですが、各遺跡は、メコン川を挟んで両岸に点在しています。そして、このツアーで訪ねるのは、遺跡群の中心となるワット・プー遺跡公園のヒンドゥー教の寺院跡です。昔から人々に聖なる山と崇められてきたリンガバルバータ山の麓にあります。

一四世紀にラーオ族による統一王朝のラーンサーン王国が建国する以前のラオスの歴史は、文字資料の決定的な不足により、まことに茫漠としています。現在のラオスの人口の過半数を占めるラーオ族がラオスの地に姿を現したのは一一世紀ごろと言われており、それ以前に先住していたのは、モン・クメール語系の言語を話す人々でした。九世紀頃から、彼らが現在遺跡公園のあるこの地にヒンドゥー教の寺院を建て始めたといわれていると、本で読みました。もしも、そうだとすれば、クメール王朝がヒンドゥー教の寺院としてアンコールワットをカンボジアに建立す

寺院遺跡の「かけら」に腰を掛け、さて、何を思うか、少年。

るより三世紀も前のことです。

その後、時は流れて、ラオスではラーオ族による統一王朝の建国があり、仏教の伝来があって、ワット・プーは上座部仏教の寺院として改修されました。

口の悪い人は、「ワット・プー遺跡群なんて、アンコール遺跡群に較べたら貧しいもんだ」と言います。遺跡群の規模から言えば、その通りでしょう。しかし、すっかり開発されたカンボジアのシェムリアップの、大混雑のアンコール遺跡群とは較べようもないワット・プー寺院遺跡には、観光客の姿も呆れるほどに少ないので、静けさが敷地内を支配しています。事実、私は雨季と乾季とワット・プー遺跡公園を三度度訪れましたが、いずれの時も、他の外国人観光客には出会いませんでした。

遺跡公園の入り口から左右に奥に向かって長く伸びる聖なる池と、その真ん中を参道が貫きます。そして参道の両側には、石造りのリンガ(男性器をかたどった石柱)が整然と並び立っています。最初に出会う建物は、参道の左右に建つ〝宮殿〟です。屋根がすっかりなくなった吹きさらしの建物の姿は、遺跡というよりは廃墟と呼んだほうがふさわしい有様でした。さらに進むと、自然石を積み上げて造られた急な階段があります。私のような高所恐怖症の人間が上ることをためらわせるに十分な勾配です。そしてこの階段の両側に、古びたチャンパーの花の木がたくさんも植わって、山腹の本堂に続いているのです。

夏に訪れた時、チャンパーの木は大きな葉に覆われていて、小さな花を見つけることができませんでした。しかし翌年の冬の乾季に訪れた時は、葉がすっかり落ちて、かわってチャンパーの花が今を盛りと咲いていました(本書の最初のページ参照)。石段の両側に生えている背の高いチャンパーの木々が、八方に伸ばした枝々の先に真白な花を無数に咲かせていたのです。それは、目にも鮮やかな咲き様でした。チャンパーの木々は、どれも日本の梅の古木のような、荒々しく太い幹をしていました。まるで、クメール人がこの寺院群を建設した中世の時代からそこに生えているような老樹に見えました。

正面の山の中腹にある寺院の本殿へと続く参道。両脇に、リンガが立ち並ぶ。

私は、この花のトンネルに入って、石段をゆっくりと上りながら、一二世紀の日本で西行法師が詠んだ歌を思い出していました。

ねがはくは花のしたにて春死(し)なんそのきさらぎの望月(もちづき)の頃(ころ)

ここでいう花とは、むろん、桜のことですね。自分の願いをこう詠んだ西行は、その願い通りに、一一九〇年の旧暦二月（すなわち、如月(きさらぎ)）一六日（現太陽暦の三月下旬）、葛城山の大阪側の山麓にある弘川(ひろかわ)寺で、七三歳の生涯を終えました。桜の咲く如月に、しかもその日は望月、すなわち満月の頃だったのです。西行の思いに心をうたれた和歌の神様が入念に準備したかのような、完璧な舞台装置でした。

同じ花とはいえ、日本の桜とラオスのチャンパーとは、花の有り様がだいぶ違います。花の姿も大いに違いますが、特に違うのは、開花の期間と、散る時の様子です。開花時期については、桜が春のわずかに一週間ほどなのに対して、チャンパーはラオスでは一年中開花しています。ただ雨季は花の数が少なく、かつ大きな葉が生い茂るため、花は目立ちません。チャンパーの花が美しく咲くのは、本格的な乾季の始まる一一月頃からで、乾季の極まる二月にもっとも盛んになります。実は、チャンパーの花も、桜と同じように数日咲いて散っていきます。ビエンチャンの町中などで、路上に散ったチャンパーの真白な花をよく見かけます。しかし、木の枝には、すぐに新しい花が開花して、とくに乾季にはいつまでも花を楽しめるのです。

それから、花が散る時の様子ですが、桜は、多くの場合、花弁が一片ごとに分かれて、ハラハラと、あるいは風に乗って、散ってゆきます。ところがチャンパーの花が散る時は、椿のように、五片の花弁がついた花柄がそのまま、ポタリと地上に落ちてきます。地上に落ちた後も、まるで枝先で咲いていた時と変わらないみずみずしさです。

そういう決定的な違いを考えると、西行がもしもラオスの人であったなら、「ねがはくは」の歌は作れなかったのだろう、と馬鹿なことを考えてしまいます。ただ、ワット・プー遺跡公園で出会ったチャンパーの満開の花が作るトンネルの様子は、桜に負けないものでした。西行が歌を詠んだ季節は、旧暦二月です。私の冬のクルーズの旅は新暦の二月でしたが、日本の昔に詠まれた歌を、ラオスの旧都で思い出すことになろうとは。これもまた旅の力であり、花の力であるといえるのでしょうか。

こう書いていて、思い出しました。ワット・プー遺跡公園では、毎年、新暦二月の満月の日に、ワット・プー祭りが開催されます。春、満月、満開の花と、なんだか因縁めいてきました。

さて、チャンパーの花のトンネル階段を上り切ると、山腹に建てられた寺院の本殿の建物に辿り着きます。本殿の立つ場所は、テラス状の台地になっていました。本殿も、山麓で見た〝宮殿〟に負けず劣らず廃墟と化していましたが、外壁面には舞い踊るアプサラ（天女）たちが彫られていました。昔アンコール遺跡群を訪れた時に、寺院の壁で出会ったアプサラにそっくりでした。彼女らも、チャンパーの木の、雨季と乾季の季節による変わり様を楽しんでいるかのようでした。

本殿のあるテラスの台地を歩いていると、仏像はもちろん、ヒンドゥーの神々や、精霊信仰に関わりのありそうな岩に掘ったゾウやワニ、様々な時代の神様、仏様の像が混在していました。

アンコール・ワットで見かけたアプサラ（天女）に、ワット・プーで巡り逢う。

ヨーロッパでも、地元に古くから伝わってきた神々と混淆したキリスト教に出会いますが、神仏混淆のような精神風土は、日本だけではないんですね。

　さて、テラス状の台地から、登ってきた方角を眺め下ろすと、今しがた通ってきたチャンパーの木のトンネルと石段、宮殿と参道、聖池などの遺跡公園が広がっていました。そしてその先には、チャンパーサックの町並みとメコン川の流れが、また遥か先には、ボーラベン高原がうっすらと見えていました。この寺院遺跡からメコン川までは、わずかに五キロほどです。ラオスがラーンサーン王国に統一される以前から、この地に住んだ人々はメコン川に多くを負ってきたのでしょう。ぼんやりと遺跡を眺め下ろしていると、あまりにも静かに過ぎて、この寺院が造られていた時代にタイムスリップしたような気分を味わいます。

本殿がある丘の上からの眺め。いつからか、時間が止まってしまっているかのような。

　この遺跡の良さは、観光客の私が言うのもずうずうしいのですが、観光客の少なさです。この寺院遺跡を歩き回っている間、私が出会ったのは、参拝者に供花と線香を売る地元のおばちゃんたちと、石の仏様ばかりでした。二月に訪れた時は、地元の男の子がふたり、参道に打ち捨てられた壁石のような石の上に座り込んでいました。よく見ると、手に持ったチャンパーの花をしげしげと眺めていたのが、なんだか不思議な光景でした。こんな光景も、観光客のいないワット・プー寺院遺跡だからこそ出会えるのでしょうね。

夕方、船に戻り、キャビンでシャワーを浴びました。そしてデッキに上がると、蒸留酒のラオ・ラーオをライムで割ったカクテルが食前酒として供されました。籐の椅子に腰かけてそれを飲んでいると、スコールのような雨が降り始めました。雷も光って、雨が吹きさらしのデッキに吹き込んできました。係の人がデッキの軒に丸めて畳んであったビニールのカーテンを大急ぎでおろしたのですが、雨を防ぎきれず、デッキはびしょ濡れとなりました。濡れたデッキを、係の人がモップで拭き取っている間に、雨はやんでいきました。その間、二〇分ほどでした。雨季とは言っても、ざっとこんな程度のことが多いのです。幕末に勝海舟を乗せた咸臨丸（かんりんまる）が太平洋を横断した時、嵐に遭遇している絵がありますが、その時は、濡れたデッキをモップで拭き取るくらいでは済まなかったことでしょう。

その後、一階の室内にあるダイニング・ルームに降りて、夕食が始まりました。夕食だけは、一階にある屋内のダイニング・ルームでとります。デッキの灯りを求めて、虫たちが集まって来るからです。草木の茂る岸辺の土手は、真っ暗です。虫たちにしてみたら、ワット・プー号の灯りは、我々が夜の田舎道をさ迷い歩いてようやく見つけた一軒の農家の灯りのように、懐かしさがこみ上げてくるものなのかもしれません……そんなことは、ないか（口絵4頁）。

夕食はラオス料理のセット・メニューですが、これまた欧米人の舌に合わせた味付けをしてい

チャンパーの花に見入る男の子たち

るので、ラオス料理の野性味には欠けますが、洗練された味、とでも言うのでしょうか。ビア・ラーオを飲みながら、その味をゆっくりと楽しみました。食事の後は、みなが再びデッキに出て、食後のお茶タイムです。イタリア人のグループが、白色電灯を目当てに飛んでくる虫たちも仲間に入れたようにして、賑やかに話をしていました。彼らの賑やかさを除けば、静かな水の上です。遠くに、チャンパーサックの町の宿泊施設の明かりが見えますが、あとは漆黒の闇です。聞こえてくるのは、土手の草むらの中で鳴く虫の声ばかりです。夜の九時を過ぎて、キャビンに戻りました。船を予約した時、ワイファイ・フリーと人から聞いていてパソコンを持ってきたのですが、ガイドに聞いたら、「使えない。ここでは、そんなことは忘れて、のんびりと、ゆったりと過ごす」と言われてしまいました。もっともなことです。久しぶりに、一〇時に就寝しました。

ラオスの村にいったい何があるというんですか？

クルーズ二日目の早朝。キャビンで目覚めて窓を開けたら、外に誰がいたと思いますか？　目の前の土手の斜面で、牛たちが、草を食んでいたのです。ワット・プー号が繋留されていた岸辺の土手に草が生えていて、村の農民が、牛を放牧しているようでした。牛たちと目が合いましたが、彼らは船客には慣れ切っているのか、すぐに目を反らして草食みに戻りました。

岸辺に繋留された船はまったく揺れを感じさせず、夜中に一度も目を覚ますことなく、熟睡することができました。牛たちへの挨拶を終えて、身支度を整え、二階のデッキに上がりました。船尾側にあるデッキでは、すでに朝食のための卓と椅子が用意されて、清潔な白衣を着たボーイ

朝、眠気まなこで船室の窓を開けると、土手で草を食む牛と目が合う。てへへ……

が卓上のセットをしていました。「サバイディー！」　メコン川の向こう岸に目をやれば、はるか彼方に聳える山の上に太陽が顔を出したばかりでした。新鮮な太陽の光が私のいるデッキに差し込み、ボーイの白衣や卓の白布を照らし出していました。気持ちの良い川風も吹いています。なにもかもが、今日がよい一日となるであろうことを私に予感させているようでした。

さて、オープン・デッキで、文字通り自然に囲まれての朝食です。調理はすべて、一階にあるキッチンで行われています。温かい卵料理にバケット、コーヒーと紅茶にオレンジ・ジュース、そして、デザートのフルーツが出てきました。これを、それぞれのテーブルの人が、自分たちなりの時間をかけて、いただきます。どの食べ物、飲み物もおいしいのですが、特にお勧めは、ジャムでした。ライム、コリアンダー、パイナップルの三種類の瓶詰ジャムがあり、バケットにぬって食べます。なかでも、ライム・ジャムはピカイチの味でした。そこで、船の人から、ビエンチャンの町で、このジャムを売っている店を聞きだしました。その後、我が家では、自宅用に、また日本に一時帰国する際の知人への土産に、瓶入りのライム・ジャムを購入していました。

我々が朝食をとっている間に船は岸辺を離れて、流れをゆっくりと下りながら、対岸へ向かいました。今日の最初の訪問地、トモ村があるのです。乾季の二月の航海時には、メコン川の水量が少なくて船が接岸できません。そこで、船は〝沖〟に停泊し、我々は船から水中に下ろされた梯子を降りて川の中に入り、膝まで水に浸かりながら、トモ村の岸に向かって歩いて行きました。そして砂浜に上陸して、土手を登り、トモ村に入って行ったのです。

ローランド・ラーオと呼ばれる、低地に住むラーオ族の村だそうです。土の村道を歩き始めて

日が射し込むデッキで、朝食を準備するキャビン・アテンダント。

出会う村の人たちは、女性、幼児、老人ばかりでした。村人たちは、クルーズの船客には頻繁に接しているはずですが、私たちに妙になれなれしい笑顔で接するでもなく、かといってしかめっ面をするでも、そっぽを向くでもありません。ただ、英語もフランス語も解しませんから、私たちが「サバイディー！」と挨拶の声を掛けておしまいで、話は進みません。村で出会った犬、豚、鶏、アヒルなどの動物たちも、しかりです。適度な距離から、歩きすぎてゆく私たちを見送っていました（口絵5頁）。

村の建物が尽きたところに小学校があって、ガイドが私たちを連れて立ち寄りました。教室の外から授業風景を見学させてもらいました。何の飾りもない簡易な平屋の建物で、教室の中も、授業に必要最小限の簡易な装備でした。長机を前にして長椅子に座った二〇人くらいの生徒たちが、女の先生から算数の授業を受けていました。生徒たちは、机上のノートに筆記している子がいるかと思えば、それが授業の方法なのか、四、五人が集まって何かを相談しているようなグループもありました。よそ者の私が覗き見た限りでは、「学級崩壊」などとは無縁の、春の海のようにのんびりとした授業風景でした。

小学校は、村の建物の一番外れにありました。そこから少し歩くと、森が広がっていました。ウム・ムーオン寺院遺跡のある地域です。ここも、ワット・プー遺跡群の一部として、世界文化遺産に登録されています。ただし、パークセーからもチャンパーサックの町からも、公共の交通機関はなにもありません。車かボートを借り、ガイドをお願いするか、私のようにツアーに参加して来るしかありません。雨季に来た時も乾季に来た時も、私たち船客以外の観光客にはまった

乾季、水位が下がり、船は沖がかりするしかない。上陸するには、膝まで水に浸かって岸を目指す。

く出会いませんでした。
さて、森の中に入ると、丈の高い木が生い茂っています。木が密生しているというほどでもないので、比較的明るい森です。さらに進むと、人の気配がして来て、池があり、十数人の女性と子どもたちが池に入って何かをとっていました。トモ村の人々でした。当然、魚か淡水エビ、カニでも獲っているものと思って池のほとりに置いてあった白いポリバケツを覗き込んだら、なんと、中に入っていたのは、ゲンゴロウ、タガメ、小蛙、ヤゴなどでした。ラオスの村には、自給自足的な生活が残っていると聞いていましたので、食用となるのでしょう。男どもが主食を栽培する畑に出払っている時に、女子どもが世界文化遺産に登録された森の中の池で副食となる小動物類をとっているというわけです。しかし、池に入っている子どもたちの中に、先ほどの学校の教室で見たくらいの歳の子が混じっていたのが、ちょっと気になりました。

さて、ウム・ムーオン寺院遺跡です。ワット・プー寺院に二世紀ほど先立って、クメール人によって建立されたヒンドゥー教寺院だったものが、その後、仏教寺院に改修されたのだそうです。今では、建物の基壇と壁の石組みの一部を残すだけで、ワット・プー寺院遺跡の廃墟よりもっと廃墟の様相を呈していました。ワット・プー寺院遺跡の本殿に安置されていたような仏像も、壁面の天女の浮き彫りのようなものも残っていません。中心となった建造物の周囲の森の中に、龍（ナーガ）の石像や建造物の一部らしい四角な石が無造作に散らばり、苔むして、土に埋もれかけています。森の中で、長い年月をかけて自然の一部に戻ってしまったかのような、かつての石の建造物です。もっとも、私の身だって、いずれは自然に帰ってゆくのですが。

トモ村の小学校は、算数の授業中。皆さん、お邪魔しました。

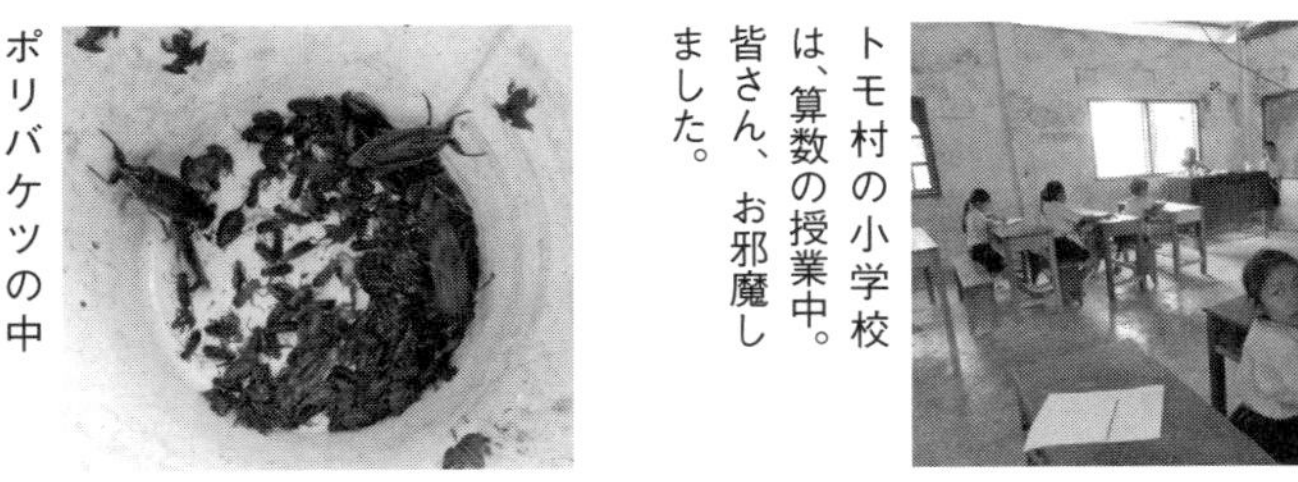
ポリバケツの中に、タガメ、ゲンゴロウ、ヤゴ、小蛙など。夕食のおかず、多分。

この森の中の寺院遺跡を守る係の人がいるわけでもなく、村人たちは、食料を得るために自由に池にやってきて〝漁労〟をしている。そんな遺跡を歩き回っているのは、クルーズ船客である私たちだけでした。なんとも、おおらかな世界文化遺産ではありました。

昼頃、本船に戻りました。デッキで心地よい川風に吹かれながら昼食をとり終えると、午後のアイドル・タイムです。ここから次の上陸地に到着する午後四時までが、このクルーズでもっとも長い航海となります。船客はデッキに出てきて、各自が籐のアームチェアやソファ、寝転がれるカウチ・ソファに、あるいはデッキにクッションを敷いて陣取ります。そして、読書をする人、おしゃべりを楽しむ人、何をするでもなくメコン川の風景を眺めている人、昼寝を楽しむ人など、勝手気ままに時を過ごすのです。人間にとって、なんとも素朴な時間の過ごし方ではないでしょうか。ここまで来ると、もう山の姿はなく、川幅もさらに広くなって、目に入ってくる風景はやたらに大きいのです。船は、ゆっくりと川を下ってゆきます。途中で大型船に出会うこともまったくありませんから、大きな風景を贅沢に味わうことができるのです。

八月の雨季にここを航海した時のことです。雨季はメコン川の水量が増すので、ワット・プー号は、比較的岸辺近くを航行します。岸辺近くを船が行くと、何が起きるか？　クルーズ初日のロングテール・ボートのところでも書きましたが、船が集落にさしかかるたびに、土手で遊んでいた子どもたちが船に気付いて、手を振って来るのでした。中には、家の中から走り出てきて手を振る子もいました。大きな声で、我々に呼びかけてくる子もいました。さらには、しばらくの間、船を追いかけて、土手を走り続ける子もいました。次の上陸地に着く四時まで、岸辺に集落

寺院遺跡に、建造物として唯一残る門と周辺の壁。森の中で、自然に戻りかけている。

が現れる度に、子どもたちとのメコン川を挟んでの交流が続きました。

ワット・プー号は、上りと下りで、週二回、この航路を行き来しています。つまり、彼らは週に二回、ワット・プー号に出会うことができるのです。沿岸の村に住む子どもたちの目に、自分たちの立つ土手から数十メートル先の沖合を行く黒い船体とデッキに見える主に西洋人の姿は、どのように映っているのでしょう。沿岸に建つ彼らの木造の家屋に比べたら、同じ木造とはいえ、この船の姿はまぶしく見えるのだろうと想像します。将来、彼らが大きくなった時、子どもの頃に出会った〝黒船〟のことを、彼らはどのように思い出すのでしょう。将来の彼らの思いは想像するしかありませんが、今、船に向かって一生懸命に手を振り、声を掛けてくる彼らの姿は、現実です。その子どもたちの姿を見ていると、なぜか、ちょっとせつなくなってきます。

私は、他の船客たちと同じように、籐の椅子に寄りかかって岸の子どもたちに向かって手を振っていました。しかし、思い切り手を振る子どもたちの姿を見ているうちに、こちらからも彼らに応えていることを、彼らにしっかりと気付いてもらいたくなりました。そこで、座っていた椅子から立ち上がると、尻に敷いていた椅子の橙色のクッションを手に持って、沿岸の子どもたちに振り返し始めました。ラオスにとってはよそ者に過ぎない私の感傷、と言ってしまえばそれまでのことです。しかしその時の私は、岸の土手で手を振って来る子どもたちに応えたい、と感じ、身体が動いてしまいました。すると、同じデッキにいたイタリア人家族の小学生の男子が、私を真似てクッションを持ちだし、岸に向かって大声で、〝サバイディー〟と叫びながら、クッションを振りかざしました。そのうちに、イタリア人小学生が私を振り向き、老齢者を気遣うよう

岸辺で手を振ってくるラオスの子どもらに向かい、クッションで応える日本の老人とイタリアの小学生。

に、「Are you tired?」と聞いてきました。私は、思わず吹き出しそうになりながら、「Not very much」と、答えました。直後に、後方から彼の母親の愉快そうな笑い声が聞こえてきました。

私は、機会さえあったら、もう一度、雨季に彼らに会いに行ってみたい、と思っています。

午後四時頃、二度目の上陸です。船は今度は沖どまりではなく、接岸しました。船を降りて、土手を登ると、そこは、川に接して建てられた農家の庭でした。デゥア・ティア村という漁村です。男衆は漁に出ているそうで、この時間、村に残るのは女性と子どもばかりでした。ここの村人たちも週に二回、ワット・プー号の乗船客の訪問を受けているのです。

我々は、村の〝メイン・ストリート〟の土道を、三々五々、寄り道をしながら歩いて行きました。途中に、昔の日本の田舎にあったような万事屋（よろずや）がありましたが、船客の誰も、駄菓子の一つを買うでもありません。出会う村人の女性たちは、我々に媚びる様子もなく、冷たく無視するでもなく、ほどよい距離感を感じさせます。むろんそう感ずるのは、観光客に過ぎない私の勝手ですが。子どもたちも、モノをねだる風を見せるでも逃げるでもなく、カメラを向けると、そっと近寄ってきます。自分たちに比べてやけに大きく、白い色をして髪の色も違い、小ぎれいな服を着た西洋人を見て、彼らは何を思っているのでしょう。つい先ほど船の上から手を振って交流した土手にいた子どもたちのことを思い出しながら、私はそんなことを考えました。

しばらく歩くと、平屋の比較的大きな建物がありました。この村の小学校です。今日は金曜日、ちょうど終業時で、校庭に百人足らずの生徒たちが集合していました。男の子たちは白のシャツに黒の短パン、あるいは長ズボンで、女の子たちは白のシャツに巻きスカートのシンを穿いてい

金曜日、小学校の終業時、全校生徒が校庭に整列して、国歌を斉唱し、国旗を降ろす。前列の上級生たちは、国旗に向かい敬礼をしている。

ました。ラオスでは、小学校から大学まで、女子学生は全員がシンを穿くのです。高学年らしい背の高い男女たちは、赤いネッカチーフをしていました。そして、校長先生らしき女性が、生徒たちに訓示を垂れていました。ガイドによれば、〝校長先生〟は、生徒たちに、週末になすべきことについての注意をしていたのだそうです。一．男子生徒は髪を短く切ること、二．女子生徒は髪を梳かして、後ろで結ぶこと、三．みんな、制服を洗濯してもらうこと。なんとも、その分かりやすさは、感動的ですらあります。

訓示の後、みんなでラオス国家を斉唱しながら、校庭のポールに掲げてある国旗を下ろしました。その時、最前列でネッカチーフをした高学年の男女生徒たちが、国旗が下りきるまで、右手を挙げて敬礼をしていました。こんなところに、ひょっとすると、社会主義国家の統制的なやり方が現れているのかもしれません。ただ、日本の朝礼のように、「前へ、ならえ」などと言って整列をするでもないし、幼稚園児のような子が校庭に紛れ込んでいたりして、後列の低学年の子らは統制のかけらもない奔放な様子だったのが、おかしかったです。

我々の漁村の散歩は、下校する小学生達と、ここでも、ほどよい距離感を保っているのでした。特別なことは何もないけれど、豊かな時間がたっぷりと流れていることを感ずることのできる漁村の散歩でした。

夕方、本船に戻りました。船は少し進んだ後、桟橋も何もない岸辺に横付けとなりました。停泊した場所は、ラオスにおけるメコン川の最南部で、シーパンドーン（四千の島々）と呼ばれる地域にある最大の島、コーン島の最北端の土手です。メコン川にある大きな中州です。この日は、

紫色のリュックサックを胸に抱え、白タオルとうちわを持つ。村道を歩く観光客に対する、下校途中の小学生たちの、絶妙な距離感。

夕立ちに出会った昨日とは違って、空は晴れあがっていました。デッキに立ってメコン川の西側の岸を眺めていると、木々の彼方に、夕陽がゆっくりと沈んでゆきました。沈みながら、メコン川の川面に黄金色の帯を、私に向かって伸ばしています。すっかり沈んでしまう前に、いたずら心を起こして、夕陽を摘まんで写真に撮ろうとしたのですが、うまく掴めませんでした。

歴史は、繰り返すのでしょうか？

翌朝六時頃に起きだして、デッキに出てみました。東の空が、みごとに朝焼けしていました。朝焼けはメコンの川面を輝かせていて、その輝きの中に、幾艘もの小さな漁船が浮かんでいました。デッキの下を覗き込むと、父娘らしき二人が乗った漁船が、これから漁に出るのか、漕ぎ出していくところでした（表紙・裏、下の写真）。

こうして、朝のワット・プー号のデッキに立って無心になり、ゆったりと流れるメコン川と広い川面に点在する漁船、その向こう岸に水平に広がる森、そして朝焼けして広がる空を眺めている。なにもしないでいられる時間が、何とも言えずに心地いいのでした。こうして三日間を過ごしてみると、ワット・プー号に、人格のようなものさえ感じてきました。この船は、自然の中に溶け込むようにして航海しながら、船客を自然や地元の人々、歴史の彼方に誘ってくれました。そして、なによりも、メコン川の魅力を存分に堪能させてくれたのでした。

朝日の差し込むデッキで朝食を取りました。その後、ワット・プー号に横付けされた、小さなロングテール・ボートに乗り移りました。ワット・プー号とお別れです。昔、井伏鱒二が、中国の唐代の五言絶句を和訳した中に、「サヨナラダケガ人生ダ」、という名句がありました。これを使って、寺山修司が作詞して、カルメンマキが歌った歌の文句は、「ダイセンジガケダラナヨサ」、でした。私のような団塊と呼ばれる世代は、「別離」というとこんな文句を思い出して、「別離」に感ずるせつなさを笑いでごまかすようでいて、切なさが増したりします。

ワット・プー号が停泊していた近くの浜辺に出てきていた子どもたちも、我々に向かって別れの手を振ってくれました。もっとも彼らは、「サヨナラダケガ人生ダ」、などとややこしいことを思っているはずもありませんが。

さて、私たちが乗ったロングテール・ボートは、一路南へ、つまりカンボジアとの国境へ向けて下っていきました。最初に目指すのは、昨夜停泊したのとは別の、もう一つのコーン島です。途中で出会う子どもたちは、ここでも、よそからやって来た旅人にやさしくて、懸命に手を振ってくれます。子どもたちばかりでなく、水牛たちにも出会います。こちらは通り過ぎるボートにもの憂げに目をくれてきますが、すぐに私たちからは目を反らして、水浴びに浸りきる様子でした。

沿岸に農家が並び立っている村をいくつも通り過ぎました。そのうちに地元の農家とはまったく様式も色彩も違う建物が見えてきました。ゲストハウス群です。この地域はすでにカンボジア国境に近いのですが、シーパンドン（四千の島々）と呼ばれ、文字通り大小たくさんの島々があります。その中のコーン島とデット島が、バックパッカーの若者を中心とする観光客に人気があり、安いゲストハウスに何日も滞在するのです。

シーパンドンには、いくつもの滝があります。一九世紀末にラオスを植民地化したフランスが、物流を確保して植民地ラオスを収奪するために、メコン川の水運の開発を試みました。すなわち、一九世紀の末までにラオス、カンボジア、ベトナムのインドシナ三国を植民地化したフランスは、メコン川の水運を切り開いて、ラオスで簒奪（さんだつ）した物資を、カンボジアを経由してベトナムのメコン・デルタにある港まで船で運ぼうと計画しました。ところが、シーパンドンにある滝に阻まれてしまい、とうとう一貫した水運の開発を諦めたのです。代わりに、南のコーン島の南端から北に隣接するデット島の北端近くまで、鉄道を敷きました。そして、二つの島を鉄道橋で結びました。ラオス史上、初めての鉄道の敷設でした。

現在は、滝の上流域の水運のための埠頭の跡がデット島の北端近くに残っていて、船から荷物を上げ下ろしするために使用したコンクリートの構築物の残骸が川風にさらされています。それと、コーン島とデット島を結んだ鉄道橋が、残っています。すでに、線路はなくなってしまっていますが、長年に渡って鉄道を支えてきた頑丈な石橋なので、今でも人が歩いて渡れます。そして、滝の下流域の水運のための埠頭として使われたコーン島の南端と鉄道橋の近くの二カ所に、かつて物流に使われた蒸気機関車が展示してあります。展示と言っても、蒸気機関車を納めた構築物は、屋根はあるが壁はなく、吹きさらしなのです。蒸気機関車は無残に赤錆びて、まるで永遠の休息にでも入っているようでした。

私たちは、コーン島の鉄道橋の近くにある船着き場でボートを降りて、村の中を歩き、鉄道橋とその近くにある蒸気機関車を見に行きました。橋は、四万十川にかかる沈下橋のように、欄干

メコン川の岸辺に立ち並ぶゲスト・ハウス群。水との距離が、丹後半島の伊根の舟屋群のよう。

がありません。デット島に向かって真っすぐに伸びる一〇〇メートルほどの橋を歩いて渡り切ると、橋畔にローカルな造りの食堂らしき店があり、それきりでした。橋の下流には、山が迫っています。ガイドによれば、カンボジアの山だそうです。そういえば、ワット・プー寺院遺跡群から下流で山の姿を見ることはありませんでした。そんなことを思い出しながら、また橋を渡って、コーン島に戻ってきました。

ところで、現在のラオスに、鉄道は、ビエンチャン郊外に架かるタイとの国境の橋を通る国際列車しかないことは、すでに書きました。つまり、〝国内線〟の列車は、まったくないのです。コーン島やデット島に住む人たちは、はたしてこの赤錆びた蒸気機関車のことをどう思っているのでしょうか。また、二月のクルーズには五人のフランス人が乗っていましたが、かつての植民地帝国フランスが残していったこうした残骸を、彼らはどんな思いで見ていたのでしょうか。

実は、ラオスでは現在、高速鉄道の建設が進んでいます。総工費が約六〇億ドルという大型事業で、ラオスが中国との合弁企業に出資し、負担割合はラオスが三〇％、中国が七〇％だそうです。雲南省の昆明から、国境の町ボーテンでラオスに入り、首都ビエンチャンまで、全長約四二七キロの、本格的な鉄道です。中国にとっては、「一帯一路」戦略の事業の一貫です。ビエンチャンからは、当然タイへと乗り入れることになるでしょう。工事そのものは、請け負った企業や労働者をはじめとして、全面的に中国に負っているようです。ラオスには、鉄道建設のノウハウなど微塵もないはずですが、だからといって、これでよいのでしょうか。

ラオスでは、二〇世紀の初め、フランスによって、カンボジア国境近くの小島に長さ一〇キロ

手前のコーン島と向こうのデット島を結ぶのは、二〇世紀初めにフランスが架けた鉄道橋。四万十川に架かる沈下橋みたい。

足らずの鉄道が敷かれました。植民地帝国であったフランスが、メコン川の一貫した水運の開発に失敗した結果でした。二一世紀の今、中国によって、「一帯一路」戦略事業の一つとして、首都ビエンチャンまでの高速鉄道が敷かれようとしているのです。一九世紀の半ばに、カール・マルクスが著書の中で使った言葉、「歴史は繰り返す。一度目は、悲劇として。二度目は、喜劇として。」を思い出します。まさか、ラオスの二度目の鉄道敷設が喜劇となることはないと思いますが。私としては、すでに進んでいる鉄道事業ですから、完成の暁には、ラオスの人々が、観光の促進などでこの鉄道を賢く利用することを願ってやみません。

この後、ロングテール・ボートとバスを乗り継いで、観光地としてはこの日のハイライトであるコーンパペンの滝を訪れました。この滝は、『World Waterfall Database』というウェブサイトで、「コーンの滝」の名で世界一の幅があるとして紹介されている滝の一部です。「コーンの滝」の幅は、なんと、一〇七八三メートル！　ただし、実際には、メコン川の川幅いっぱいに渡る「コーンの滝」は、途中をいくつもの島に遮られています。コーンパペンの滝も、観瀑台から見ることができる滝の幅は、せいぜい数十メートルです。また、高低差もたいしたことはありません。しかし、この、島々に分断された「コーンの滝」が、今から一〇〇年以上前に、植民地帝国フランスがメコン川に描いた水運の夢を打ち砕いたのでした。その夢とは、メコン川を活用して、中国の雲南省からかつてのベトナムのサイゴンまで、船で一気通貫する、というものでした。そういう歴史を思い出して、あらためてコーンパペンの滝を眺めると、力強く流れ落ちる滝が、なかなかたいしたものに見えてくるのでした。

鉄道橋の近くに展示してある、廃線から七〇年を超える蒸気機関車と、村の少年・少女。

二月に訪れた時、この滝の周辺に咲いていたラオスの国花、チャンパーは、手入れがよいのか、私が二年間のラオス滞在で見たどこの花よりも大振りで、純白のみごとな花でした。

午後二時頃、カンボジアに向かうヨーロッパ人のグループと分かれて、バスでコーンパペンの滝を後にし、二時間半ほどで、パークセーの町に戻り着きました。パークセーの町は、チャンパーサック県の県都ですが、人口は一〇万人を超えるくらいだそうです。わずかに二泊三日の旅をしただけですが、ワット・プー号のクルーズを終えて、バスがパークセーの町に入り込んだ時、私は、まるで大都会に戻ってきたような、人懐かしさを覚えました。

乾季のコーンパペンの滝。今でも、この滝壷で漁をする村人たちがいる。

雨季のコーンパペンの滝。乾季の清々しさから様相を一変し、濁流と化す。

コラム　パークセー三山の恋の物語

パークセーに伝わる昔話を紹介します。町の近郊に聳(そび)える、三つの山の恋の物語です。

昔々、パークセーの町の東に聳えるプー・バチアン山という王様が、恋をしました。恋の相手は、メコン川を挟んで、パークセーの南に聳えるプー・マローン山という王女でした。バチアン王は、マローン王女の心をなんとかして掴まえようとして、プー・サラオ山という酒を贈りました。しかし、マローン王女は、南の地に住むチャンパーサックという若者に恋をしていたので、サラオ酒には、見向きもしませんでしたとさ。オシマイ。

この小話は、私がワット・プー号のクルーズに乗る前日、タクシーでパークセーの町を観光した時に、ラオス人のドライバー・ガイドから聞いたものです。パークセーでは、私はメコン川に面したホテルに泊まりました。メコン川を挟んだ対岸にプー・サラオという山があり、中腹に鎮座する、黄金色の大きな仏像が見えていました。ホテルでタクシーを予約する際に、可能であれば、英語を解する運転手さんをとお願いをしたのです。ラオス人のタクシー・ドライバーが話す英語を日本人の私が聞いたもので、話はなんだか尻切れトンボみたいに終わっています。

しかし、団塊世代の私は、この昔話を聞いて、すぐに、万葉集に載っている大和三山の歌の前半を思い出さざるを得ませんでした。

香久山(かぐやま)は　畝傍(うねび)ををしと　耳成(みみなし)と　相(あひ)あらそひき

中大兄皇子（後の、天智天皇）の歌です。時代は七世紀の後半です。弟の大海人皇子（後の天武天皇）との間で、額田王をめぐっての恋争いを、香久山、耳成山、畝傍山、の三山に託して詠っ

パークセーの町からメコン川の対岸を眺める。近くにプー・サラオ山、遠くにプー・マローン山、右手にラオス・日本橋。

た、という説があります*。

ラオスの南部を訪れて、万葉集の世界に出会うこととなろうとは、思いませんでした。世界は広い、しかし、時々、近いこともある。

なお、ホテルのある市街地の側とプー・サラオ山の側とを隔てるメコン川に架かる橋は、日本の経済協力によって架けられた、その名もなんと、「ラオス・日本橋」です。なにやら、因縁めきます。

それから、日本郵便発行の切手の中に、安田靫彦（ゆきひこ）画伯が描いた額田王の絵をデザインしたものがあります。背景には、大和三山が描かれています。

ラオスの恋物語も、日本の恋歌も、結末は語られていないのが、みそですね。オシマイ。

* 中西進『万葉集 全訳注 原文付（一）』講談社文庫

第八章

ラオスを豊かにする民族の多様性

タイ・デン族の村、戸外に織機を据えて、織物づくりの女性

高度で住み分けるラオスの民族

ラオスは多くの民族で構成される国家です。国家が正式に認めているだけでも、五〇の民族が存在します。そして、その民族の分類の仕方に、居住空間によるものがあります。『ラオスを知るための60章』（明石書店）によれば、「ラオ・ルム（低地ラオ）、ラオ・トゥン（山腹ラオ）、ラオ・スーン（高地ラオ）である。（中略）この区分が人々の居住空間や生活様式、生業の多様性をうまく説明しているからである」なのだそうです。

さて、ラーオ・ルム*は、ラオスの人口の過半数を占めるラーオ族に代表され、ビエンチャン、ルアンパバーン、サワンナケートなどのメコン川沿いの河岸平野に開かれた町とその周辺に住んでいます。一四世紀半ばにラオスを統一して、ルアンパバーンにラーンサーン王朝を開いたのも、ラーオ族でした。また、ラーオ・トゥンは、ラオスの先住民といわれるモン・クメール系語族に代表され、山の頂と河岸平野との中間の地域に住んで、焼き畑を行ってきた森の民です。北部の各県で多数を占めるクム族は、このグループに属します。そして、ラーオ・スーンは、モン族に代表されます。歴史的にラオスの地にもっとも遅れてやって来た人々で、他の民族がまだ住んでいなかった山の奥深くや頂近くに住んで、焼き畑で生活してきた山の民でした。

近年、ラオス政府の森林保全を名目とした政策により、山の民が村ごと山を下りてきて、道沿いに新たな村を形成し、定住するケースが増えてきているのだそうです。このことは、第七章でも例を挙げました。こういう話を聞いて、私は、『街道をゆく　檮原（ゆすはら）街道**』で、司馬遼太郎が次

*ラオス語の発音は「ラーオ」とのびるので、本書では「ラーオ」と表記する。

**『街道をゆく　檮原街道』朝日文庫

のように書いているのを思い出しました。

「檮原町も、公共事業を活発にやっている。いわば小高知市である。このためまわりの山間に点在する山村のひとびとの幾割かが、不便な山住まいをやめてこの町に集まってきている。」

　檮原町は、高知県の西部、愛媛県との県境に近い山奥にある、人口四〇〇〇人足らずの町です。南国土佐と呼ばれる地にあるくせに、冬場になると、雪が積もります。私が、何年か前の一二月下旬に檮原を訪れた時も、快晴の高知市内を出発した路線バスが、山道に入って中腹位までさしかかった頃、山肌に残る白いものが見えてきて、檮原に着いた頃には、あたりは一面の銀世界でした。雪見の温泉を楽しんだものです。『街道をゆく』の中で司馬遼太郎は、日本の高度経済成長期以降に見られた人口の都市集中の現象が土佐の山奥の町にもみられる、と驚いています。

　さて、ラオスの民族の話です。私は、ラオス滞在中に少数民族の人々に接する機会をあまり持てませんでした。というよりも、日常生活では、一緒にいる人が何族かという話題になることは、意識してその話題を避けているということでなく、まずありません。実際に、私の職場の同僚にモン族の若者がいましたし、ビエンチャンのあちこちで、諸族の人々に接していただろうと想像します。

　なお、ここで民族とは、言語、習俗、宗教などで同じ文化的特徴を有する人々の集団、ということで理解します。一つの民族は、他の文化的特徴を有する人々の集団との間に齟齬を生ずることもあり、その齟齬が原因で生じた社会的な問題を私たちは世界のあちこちで見聞してきました。しかし、民族間の文化的な特徴の違いを、対立ととらえず、世界の多様性ととらえれば、国家はより多くの民族で構成されているほど豊かなんだ、と考えることもできます。

この章では、私がラオス滞在中に意識して少数民族に接した数少ない例の中から、いくつかの例を紹介します。

忘れ得ぬ山の民、モン族の新年の祭りなど

ラオスで山岳地帯の高地に住む少数民族といえば、私は真っ先にモン族の名を思い出します。モン族に関して思い出すことが、三つあります。

一つ目は、ラオスの近代史の中でモン族がはたした役割です。そして、二つ目はモン族の正月祭りの光景です。最後に、三つ目は北方謙三の歴史小説、『岳飛伝』に出てくるラオスの「高山の部族」です。

まずは、近代史におけるモン族の役割ですが、第二次世界大戦が終わって、日本軍がインドシナ半島から撤退した後、ラオスを再度植民地化したフランスと、ベトナムを後ろ盾にして独立を求める勢力の間で戦闘が始まりました。その時フランスは山岳戦に秀でたモン族の若者を訓練して、対独立勢力の戦闘に投入しました。そしてフランスの撤退後は、インドシナ半島の共産化を阻止せんとしたアメリカがモン族の戦士たちを引き継ぎ、ラオスの左派軍や北ベトナム軍と戦わせたのでした。モン族の勇敢な戦士たちは、ラオスの主に北部の山岳地帯戦で勇戦しました。二十数年に渡る戦いで、「推定三万人ものモン族が死んだが、それはラオスのモン族人口の

一〇%以上だった」*そうです。一九七五年にアメリカ軍がベトナム、ラオスから撤退し、社会主義国ラオスが建国された後も、アメリカやフランスなどに亡命することができなかったモン族の元戦士とその家族は、ラオス新政府軍の執拗な攻撃を受け続け、メコン川を必死に渡ってタイに逃げた人々もいれば、現在のサイソンブーン県周辺の山奥に、いわば〝国内亡命〟した人々もいたのだそうです。

ところで、日本の外務省は、海外旅行を計画する日本人のために、「海外安全情報」を公表しています。国・地域単位で「危険度」を四段階に分けて、ホームページに掲載しているのです。ラオスは、国単位では「レベル一：十分注意してください。」という注意喚起が発出されています。私は、そもそも危険情報がまったく発出されていないヨーロッパの多くの国々と較べたら、『レベル一』が発出されているラオスのほうが、実際は犯罪面ではよほど安全だと思っています。しかし、それはおくとして、ラオスの中で、首都ビエンチャンの東北に隣接するサイソンブーン県の全域とその北隣のシェンクワーン県の一部地域には、「レベル二：不要不急の渡航はやめてください」が発出されているのです。その理由は、次の通りです。サイソンブン県、シェンクワーン県クーン郡南部及びパーサイ郡中部及び南部地域では「反政府勢力が活動しており、車両等を狙った襲撃事件や爆発事件、政府軍との衝突事案が発生しており、不測の事態に巻き込まれる可能性が排除できないため、不要不急の渡航は止めてください」

ラオスを訪れたことがない人で（圧倒的多数の日本人は、そうなのですが）、この文章を読んだ人は、ラオスは物騒な国だ、と思ってしまうことでしょう。日本を含めて、絶対に安全な国や地域

*『ラオス史』マーチン・スチュアート‐フォックス、菊池陽子訳、めこん

などあるはずもないので、私は、外務省がサイソンブーン県とその隣接地域について書いている文章を否定するようなことを、ここで言うつもりはありません。外務省の文章の中にある「反政府勢力」とは、ラオス人民民主共和国の成立後、政府の厳しい攻撃を逃れてこの地域の山岳地帯に潜伏したモン族戦士たちと、その家族のことなのだそうです。この辺、私は専門家ではないのでこれ以上は書けませんが、この国の暗部に触れる思いです。でも、この地域には一般のモン族の人々が現在もたくさん住み、ごく普通の日常生活を営んでいます。

モン族に関して思い出す二つ目は、私がモン族の村で見物した正月祭りの光景です。場所は、ビエンチャンの北五二キロの場所にある、その名も「五二キロ村」です。この村に住むモン族の人々は、ご多分に漏れず、はるかに遠くの山の上から現在の平地の街道沿いに村ごと移住してきた、とのことでした。戸数や人口は聞き漏らしましたが、私の感覚で、町と称してもよいほどの大きな規模でした。

二〇一七年の一月初旬、私は、勤務する職場のラオス人の車でこの村を訪れて、モン族の正月の行事を楽しみました。街道沿いの駐車スペースに車を乗り捨て村はずれをしばらく歩くと、疎林の中に、たくさんのテントと人々の姿が見えてきました。後で知ったのですが、テント群は店で、様々な商品を販売したり祭用の民族衣装を貸しだしたり、その衣装を着て記念写真を撮るスタジオでありました。

広場に足を踏み入れると、モン族の民族衣装で着飾った数百人の老若男女が群れ集っていました（口絵2頁）。特に若い女性の民族衣装の華やかさは、目にまぶしいものでした。衣装の形式

モン族の「五二キロ村」、疎林の中は、民族衣装の男女で大賑わい。

はいくつかの種類があり、色も様々で、中には流行なのか、ミニスカートを穿(は)いている女性もいました。しかし、なんといっても、黒地のワンピースに帯を巻き、胸元には真白な飾りをつけて、独特な形の黒地の帽子を被った女性は、魅力的でした。

民族衣装を着た若い男女が、あちこちに長い列を作って、向かい合っていました。片手に黄色いテニス・ボールを持っています。後で聞いたら、本来は綿などで手作りした伝統的なボールを使うのですが、今では簡易にテニス・ボールで済ます若者が増えているそうでした。さて、そのボールを、三メートルほど離れて向かい合って立つ人にアンダースローで抛(ほう)るのです。受け取った相手は、同じ動作で投げ返す。この動作を延々と続けているのでした。

モン族の正月は、収穫祭に相当する意味を持っています。一年間の厳しい農作業を終えて、ご先祖と精霊に感謝を捧げるのです。一族郎党が集まって、歌や踊りのコンテスト、闘牛など、様々な催しを楽しむ中に、若い男女が向かい合って列をなし、ボールを抛り合う遊びがあります。基本的には若い男女間、あるいは女性同士でボールを抛り合いますが、男性同士ではやらないのだそうです。いわゆるキャッチ・ボールではなく、アンダースローでのんびりと抛り合う遊びなので、その気分はわかるような気がします。

この遊びの原型は、昔、山岳地帯で人家が散在していたモン族の村で、正月に村人たちが一堂に会する機会に、若い女性が恋人を探すことにあった、と聞きました。女性は、目星を付けた男性とボールを抛り合いながら、歌い、あるいは目や微笑みで自分の気持ちを相手に伝えようと努める。そうしているうちに、相手が自分が思っていたような男性でないとわかったら、ボールを拋る相手を変えるのだそうです。男にとってはせつない話ですが、気持ちの良いくらい、女性主導の遊びですね。

ところで、世界経済フォーラムが実施する「ジェンダーギャップ指数二〇一八年」*で、経済大国の日本は〇・六六二で、一四九カ国中の一一〇位という不名誉な位置でした。一方、国連から後発開発途上国に分類されているラオスは、同〇・七四八で、二六位でした。日本は、ラオスに対して、過去に大きな経済支援をしてきましたし、今でもしています。そのことは、大変に結構なことなのですが、こういう国家の関係にあると、自戒を籠めて書くのですが、個人としての日本人までがラオスに対して上から目線になりがちです。現在、日本政府は、「女性が輝く社会」の実現を最重要課題の一つに掲げています。たとえば女性の社会的な活躍のための環境造りについて、ラオス人から知恵を借りる、なんていう謙虚な気持ちが日本の政府や日本人にあっても、罰は当たらないのではないでしょうか。

さて、五二キロ村の正月風景に戻ります。村の広場に滞在していて気づいたのですが、私たちを除くと、観光客らしき人の姿は見かけませんでした。そのことを、同行したラオス人に指摘すると、次の答えが返ってきました。一．ラオスの諸行事は、概ね太陰暦に則って催されるので、太陽暦での月日は年によって違ってくる。二．その太陰暦による諸行事の各年の催行日も、年によって違うことがあり、大概は、二〜三週間前にならないと祭りの日が確定しない。三．従って、旅行会社は時間的に企画旅行を造ることができず、ましてや、外国の旅行会社に、旅客の募集に

若いモン族の親子。男の子の民族衣装の決まり具合も、若い女性の魅力に負けていない。

*『世界経済フォーラム　世界男女格差二〇一八』

必要な何カ月も前の提案ができない。

　二〇一八年は、ラオス政府が「ビジット・ラオス・イヤー二〇一八」と銘打って、テーマを「ラオスの祭り」とし、世界中から観光客を呼ぶんだ、と意気込みました。しかし、肝心のラオス各地で催される祭りの催行日がいつまでたっても確定せず、加えて予算不足から、有効な販売促進もできませんでした。この辺は、日本のように几帳面な国に住んでいる人には、なかなか想像しづらいことと思います。ラオス政府による観光促進を手伝った私は、この点でさんざん苦い思いをしたので、しみじみと知っています。

　ただ、そうであるからこそ、モン族の正月の催しには、金を取って人に見せるようなショー的な側面が感じられず、村人たちがひたすらに自分たちの昔ながらの正月行事を楽しんでいるように思えたのは、皮肉なものです。


　ラオスのモン族に関する私の思い出の三つめは、北方謙三の中国を舞台とする歴史小説、『岳飛伝』（集英社）に出てくる、現在でいうラオスの「高山の部族」です。主人公の一人である秦容（しんよう）が、活動の舞台を中国からインドシナ半島に移した時、勇猛果敢な山岳民族に出会います。彼らを味方につけた秦容と、後からやって来てルアンパバーン辺りに拠点を築いた岳飛は、中国の雲南省から攻め寄せてきた南宋の政府軍を、山岳地帯や森の中で迎え打ち、撃退します。この時に活躍をした「勇猛果敢な山岳民族」は、モン族ではなかったか、と私は思っています。もっとも、モン族が中国からインドシナ半島に南下してきたのは一八世紀以降と言われているので、秦容や岳飛が活躍をした一二～一三世紀の南宋とでは、時代がまったく合いません。しかし、そもそも史実としては一二世紀半ばに中国で刑死してしまった岳飛が、『岳飛伝』では、南宋の追手を逃れてラオスにやって来たことになっています。そこは、ラオスに現地取材をして、剽悍（ひょうかん）な山の民であるモン族の話も聞いていたであろう北方謙三という小説家の自由自在な想像が入っているのだろうと勝手に思っています。私は、寡聞にして、日本人作家がラオスを書いた作品を他に知らないので、『岳飛伝』とそこで活躍する「勇猛果敢な山岳民族」に、つい親しみを感ずる次第です。

モン族は、ラオスの多様性を代表するような少数民族だと私は思います。現在ラオスで活動をされている日本人女性で、安井清子さんという方がいます。自前の文字を持たなかったモン族の口承の民話を文字に記録され、それから、モン族の子どもたちのためにラオスの各地に三カ所の図書館を造って、運営・支援をされています。* 安井さんは、モン語を聞き取り、話されるのですが、文字を持たない言語を習得するというのは、どんなに根気のいることであったのでしょう。

安井さんが造り、運営・支援をする図書館の一つが、ビエンチャン市内のご自宅に隣接して建っています。ここだけはモン族の村というわけではありませんから、安井さん宅のご近所に住むラーオ族の子どもたちのための図書館です。この図書館を私が訪れた日は、「ガーデン・バザール」を開催していました。まず、子ども図書館の部屋にお邪魔すると、中学生くらいの女の子たちが集まっていました。紙で何かを作っているようでした。棚には、所狭しと日本のものを中心とする絵本が並んでいました。独自の文字を持たないモン族は、もちろん独自の書物を持っていません。そういう「モン族の子どもたちにも、絵本を楽しむという幸せな時間を過ごしてもらい

＊『ラオス 山の村に図書館ができた』安井清子、福音館書店

安井さんの子ども図書館で、紙を使って舞台で使う小物を作る子どもたち。

たい」という、安井さんの思いがこもった図書館です。

次に、モン族の女性たちが昔から伝わる手仕事で作った刺繍の製品と、モン族の民話を刺繍でつづった展示品のある本棟に入りました。壁に掛けられたモン族の民話の刺繍も、台の上に置かれた様々な刺繍工芸品も、丁寧な刺繍がほどこされていました。

外に出ると、村の神社の神楽舞台のような三方に壁のない高床式の舞台の上で、先ほど図書館にいた子どもたちが、日本の神楽のような舞いを演じていました。二人の女の子が二人羽織りのような恰好をして座し、男の子が、男鹿半島のなまはげのようなお面をかぶって舞っていました。後日、安井さんに問い合わせたところ、このお面は、ノルウエーの昔話『三びきのやぎのがらがらどん』に出てくる怪物のトロルだそうで、安井さんのラオス人のご主人が作ったとのことでした。トロルが両手に持っているモノと舞台手前に転がっているモノは、最初に図書館で見た女の子たちが作っていたモノでした。先ほど私が見たのは、舞台の小道具作りだったのですね。演じられている内容は、私にはよくわかりませんでしたが、『三びきのやぎのがらがらどん』に関わるものだったのかもしれません。

本棟に戻って、私は、文庫本の刺繍入りブック・カバーを二つ購入しました。そして、再び外に出ると、子どもたちは舞台を降りて、舞台の横の敷地で踊りを踊り始めていました。舞台での演劇も、舞台の横での踊りも、観衆は私たちだけという、なんともぜいたくな時間を過ごすことができました。

こうしてラオスのモン族に関わる事がらを思い出すままに書き出してみると、もしもラオスに

図書館の横に建つ、神社の神楽舞台様の場所で、不思議な舞を演じる子どもたち。

モン族なかりせば、ラオスという国が持つ多様性が少し薄れたのではないだろうか、と思ってしまうのでした。

ラオスのマス・ツーリズムとエコ・ツーリズム

「まえがき」に書いた通り、私はＪＩＣＡのシニア・ボランティアとして、ラオスの国の観光振興のお手伝いをするために、二〇一六年一月から二年間、ラオスに滞在しました。主に日本からラオスへの観光客を増やすためにラオス政府が実施する観光振興のお手伝いでした。日本人にとって、ラオスは知名度において遠い国です。私が帰国後のことですが、知人と会って私のラオス滞在の話となった時、「ミャンマーは、どうでしたか?」、「カンボジアは、どうでしたか?」と、聞いてくる人が、多数いました。むろん、彼らには、私の行き先がラオスであることは、しっかりと伝えてあったのです。多くの日本人にとって、ラオスは遠いのだなあ、としみじみと感じたものです。

日本の旅行会社も、ラオスのツアー商品はあまり造っていませんでした。ラオスの知名度が低いから、旅行商品を造っても売れない、売れない商品を、旅行会社は造らない、ラオスの商品が世に流通しないから、ラオスの知名度が上がらないまま、というマイナスの循環です（次の表）。

ラオスの観光振興で最優先の課題は、「ラオス」の知名度の向上です。ところが、それまでのラオス政府の観光振興策は、いわば「世界の人々がラオスという国のことは知っている」、ということを前提にして、ビエンチャン、ゾウ乗り体験、少数民族、ラオスの自然など、様々なテーマを手当たり次第に取り上げていたのです。「世界中の人が自分の国のことは知っている」という気持ちは、誰もが陥りがちですよね。しかし、自分の国に外国から観光客を呼ぼうという人がそういう認識では困ります。私は、まずはラオスの知名度向上のための施策の大切さを局の人々に説得し、ラオスということでは相対的に知名度が高い世界文化遺産の町、ルアンパバーンの魅力に絞った販売促進を提案して、採用してもらいました。

さて、マス・ツーリズムの喚起策として、売るべきものをルアンパバーンの魅力に絞ったのはよいのですが、マス・ツーリズムの販売促進は、総じていえば、お金がかかります。マスのマーケットに向けて、観光魅力を精一杯の方法で広報・宣伝していかねばなりません。ところが、国連から後発開発途上国、すなわち経済的な「貧困国」に認定されているラオスは、観光促進に投ずることができる予算が、きわめて限られているのでした。二〇二〇年までに後発開発途上国から脱するという最重要目標を掲げるラオス政府にとって、観光産業は極めて大切な産業です。なぜなら、外国人観光客がラオス国内で消費する金額は、ラオスの輸出産業の中で、銅を主とする鉱物資源の輸出、水力発電によるタイなどへの売電に次いで、三番目に大きいのです。

インドシナ半島各国の日本人到着者受入数―2012年～2018年（単位：千人）

	タイ	マレーシア	シンガポール	ベトナム	カンボジア	ラオス
2012年	1374	470	757	580	108	42
2013年	1536	513	833	604	206	49
2014年	1268	553	825	649	216	46
2015年	1382	484	789	671	193	44
2016年	1440	414	784	741	192	49
2017年	1544	393	793	796	203	32
2018年	1656	395	830	827	210	39

出典：「日本人出国者統計／主要国別」JTB総合研究所

ところが、マス・ツーリズムの需要を本格的に喚起するに足る予算が、局にはありませんでした。

そこで、マス・ツーリズム喚起のための販売促進に並行して、比較的お金をかけずに販売促進ができそうな、特定の旅行分野を考えました。それは、エコ・ツーリズムでした。なぜか?

第一に、ラオスは、国土の約七割が高原・山岳地帯の山国です。しかも、今でも山の中の村で多くの人々が生活しています。日本で急増する限界集落が問題となっていますが、ラオスでは、今でも、山奥から山麓まで、山の自然の恵みを授かりながら自給自足的な生活を営む人々がたくさんいます。

第二に、ラオスは世界有数の森林国です。国連の「食糧農業機関」の調べによれば、二〇一五年時点のラオスの森林率は八一・三%で、世界第七位でした*。ちなみに、アジアで森林率の高さがラオスに次ぐ国は、一一位のブータンの七二・三%であり、日本は一七位で、六八・五%でした。国連が、どういう基準と方法で公平性を保って各国の森林率を調べているのか私は知りませんが、少なくとも、地球上の各国を相対的に見渡すと、ラオスにはまだ森林がたっぷりと残っている、と考えてよいのではないでしょうか。しかも、その森林は、今でも山麓から山奥にかけて住む人々にとって、食料の豊かな宝庫であり続けています。ラオス政府は、そういった山岳地帯、森林地帯のうちから、二〇カ所を「国立保護区」に定めて、自然の保護に取り組んでいます。その「国

*『Statistical Report on Tourism in Laos 2017』

内陸水域を除いた国土面積に対する森林面積の割合　(単位:%)

順位	国名	森林率*
1	スリナム	95. 4
2	ミクロネシア	91. 8
3	ガボン	89. 3
4	セーシェル	88. 4
5	パラオ	87. 6
6	ガイアナ	84. 0
7	ラオス	81. 3
8	ソロモン諸島	78. 1
9	フィンランド	73. 1
10	パプアニューギニア	72. 5

出典:国際連合食糧農業機関『Global Forest Assessment 2015』

立保護区」の総面積は、国土の一四%に及んでいるのです。

そして第三に、メコン川です。メコン川については、第七章で書いた通りです。山国のラオスには、メコン川以外にも多くの河川がありますが、どの河川も、最後はメコン川に流れ込んでいます。

山と森と川と。ラオス人が「タマサート」と呼んでいる自然が、ラオスには豊かに残っていました。そこで私がラオスのエコ・ツーリズムの実情を知るべく選んだのは、北部山岳地帯のルアンナムター県にある、ビエンプーカーの地でした。県都ルアンナムターの町から西に車で一時間ほどのところにあります。

ルアンナムター県は、北辺で中国と、また北西辺でメコン川を挟んでミャンマーと国境を接します。県土の大部分が、海抜八〇〇メートルから二〇〇〇メートルの山岳地帯です。そして、県内には、アカ、クム、モン、ランテンなどの多くの少数民族の人々が住んでいます。県内には、「国立保護区」の一つ、ナムハー国立保護区も広がっています。

一九九九年、ラオス政府は、ユネスコの技術支援とニュージーランド政府の財政支援を得て、「ナムハー・プロジェクト*」をスタートしました。このプロジェクトは、自然が豊かに残るナムハー国立保護区の中で、エコ・ツーリズムを進めていこうというものでした。しかも、単に観光産業を興し、税収を増やすためだけではなく、Community-based tourism（コミュニティ ベースト ツーリズム）という名で、地域を益することを第一の目的とするプロジェクトでした。

このプロジェクトを進めることで、少数民族を中心とする地域の住民の中からエコ・ツアーの

* Nam Ha Ecotourism Project, Lao P.D.R.

ガイドを養成し、地域で外国人観光客を受け入れるための教育を行い、民泊を推進することで、自給自足を基本として、経済的には貧しい地域住民の現金収入の道を確保する。そうすることで、地域住民が行う森林の乱伐や、稀少な森の動物たちの乱獲をなくしていこうという計画でした。ラオスで初めての、本格的な、住民本位のエコ・ツーリズムの開発でした。「ナムハー・プロジェクト」が完成すると、ヨーロッパから多くの旅行者がナムハー国立保護区を訪れるようになりました。彼らの目的は、プロジェクトの中で開発された山中の森に開かれたトレッキング・コースを歩くことでした。ヨーロッパのトレッカーにとって、ビエンプーカーの名は、憧れとなったのでした。

というようないきさつを本で読んで、ラオスのエコ・ツアー視察の地をビエンプーカーに決め、他に、中国国境に近い町の訪問を加えて、局の同僚に英語ガイドと車、それに宿泊の手配を依頼しました。

幸先悪し、ビエンプーカーのエコ・ツアー

私がルアンナムター県を初めて訪れたのは二〇一七年五月の末で、すでに雨季が始まりかけていました。観光マーケティング局としても、エコ・ツーリズムを日本市場に売り込むための事前調査としてこの視察をしたいということで、同僚のコーラ君が同行してくれることとなりました。出発当日の朝、コーラ君が車でアパートに迎えに来てくれて、ワッタイ国際空港へ行きました。全部で七〇席の飛行機に搭乗すると、半分も埋まっていませんでした。そして、午後二時三〇分

出発予定の飛行機が、一五分早く離陸を開始しました！　まるで、ビエンチャン・ハーフ・マラソンみたいではありませんか。飛行機の場合は、予定より遅れて、なら分かりますが、予定より早く、です。しかも、この日が例外なわけではなく、これがよくあるんです。ただ、ラオスの名誉のためにいっておきますが、ラオス国営航空は、搭乗予定者が全員搭乗したことを確認したから、離陸したのです……多分。

さて、予定よりも早く、県都のルアンナムターの空港に到着しました。想像した通りの、山の中のひっそり閑とした空港でした。そこで、ルアンナムターの観光局のリコ君と落ち合い、トヨタのハイエースに乗り込んで、ビエンプーカーへと向かいました。リコ君はモン族だそうですが、ふくよかな顔つきの太っちょの人で、私がモン族の人に勝手に抱いていた精悍な顔つきのイメージとは、ずいぶんと異なっていました。一時間ほどのドライブの車中でリコ君から話を聞いたら、リコ君は言いずらそうな口調で、「近年はビエンプーカーに旅行者がやって来ないのだ」、と言いました。どういうことなのでしょう。

ビエンプーカーに到着して、車は「エコ・ツーリズム・インフォメーション・センター」の看板が立つ、木造平屋建ての建物の前に停まりました。やれやれ、観光案内所がしっかりとあるではないですか、と一安心しました。

門前で、二人の男性の出迎えを受けました。一人は、ビエンプーカーの観光局の職員のジャンさん、もう一人は、英語ガイドのリャンさんでした。リャンさんは四二歳、クム族の人で、一〇年ほど前に他の仲間たちと一緒にフランス人から三週間の英語の講習を受けて、ガイドを始めた

ビエンプーカーにあるエコ・ツアーの観光案内所。「頼りになる！」と、思ったのだが……

とのことでした。今でも英語の読み書きはできず、もっぱら会話をするだけなのだそうです。普段は近郊で農業を営み、お客が来ると英語ガイドをするのです。それにしても、三週間の英語の講習？　私は、今回、ラオスに派遣されるについて、二カ月を越えるラオス語講習をＪＩＣＡから受けました。しかし、恥ずかしながら、職場での会話は、すべて英語です。三週間の講習で、英語ガイドとは！*

さて、案内されて建物の中に入ると、見るからに古い英文の観光案内ポスターが木壁に掛けてありました。センターの建物は、二〇〇三年に建てられたそうです。「ナムハー・プロジェクト」の第二次計画が二〇〇五年に始まった、とあったので、プロジェクトの初期の段階に開設された案内所といってよいでしょう。ポスターの古さ加減は、この案内所の開設当初に掛けられたと言われても信じてしまったほどでした。

木製の大きな長卓があり、木椅子が並んでいて、着席して話が始まりました。なんと、車中でも出た話ですが、近年トレッカーが絶えてしまい、ビエンプーカーにやって来ないと言うのです。私は、出発前に、四年前の二〇一三年一月に発行の『ラオス　公式観光ガイドブック』を読んだのですが、そこに、「アカ族街道二泊三日トレッキング」という代表的なトレッキング・コースの紹介がありました。その同じコースの地図が、私の傍らの木壁に掛けてありました。リャンさんに、「あなたが最後にこのコースを案内したのは、いつですか？」と尋ねたら、返ってきた答えは、「昨年の九月」とのことでした。つまり、終わってしまった先の乾季のハイ・シーズンに、リャンさんは一件のツアーも担当していなかったのです。なんということでしょう。

*リャンさんとの一泊二日の旅で、山中のトレッキングや少数民族の村の生活に関する英語の案内は、過不足のないものでした。ただ、夜の飲み会での一般的な話題になると、語彙に多少の不足を感じました。

私が、「私たちはこのコースを、明日のトレッキングで行けますか?」と聞いたら、「草が茂り放題なので、無理だろう」、との返事でした。トレッカーの憧れの地は、どうやら、とんでもないことになっているようでした。

心の動揺が収まらないまま、とりあえず明日は一泊二日で初心者向けのトレッキングとアカ族の村に一泊するコースを取ることに決めて、打ち合わせを終えました。そして、町の中にある、中国資本で最近開業したというホテルに行き、チェックインしました。外壁も内部も何の飾りもない、寒々しいことこの上ないホテルでした。他のお客も、従業員の姿もなく、翌日朝にチェックアウトするまでにホテル内で出会ったのは、フロントにいた、英語を解さない不愛想なラオス人男性一人だけでした。

部屋に荷物を置いて、町に夕食に出ました。町とはいっても、真っ暗な本道に沿って間隔を置いて民家が立っているばかりです。そんな民家の一つとしか思えない食堂に入りました。店を囲う壁などはなく、屋根の下に卓と椅子が置いてあるだけでした。裸電球が心細げに灯っていて、私たち以外にお客はいませんでした。はたして今、ビエンプーカーの町に、私たち以外に旅行者は滞在しているのだろうか、と思ってしまうような静けさでした。

その店は、自分で食材を選ぶようになっているので、見に行くと、並んでいたのは、カエル、小魚、昆虫類、正体不明の野生の動物の肉、その他野菜類でした。私は、まだ小学生の頃、毎夏を父母の実家がある新潟の水田地帯で過ごしていました。村の子どもたちに連れられて、近くの小川でザリガニを獲ったり、田んぼの稲にとまるイナゴを獲ったりして、持ち帰って、茹でたり炒ったりしてもらい、食べたものです。ハチの幼虫も食べました。長じては、中国で、ヘビはもちろん、村や山に棲息する四足類も食べました。ヤモリのような爬虫類も食べました。炒めた野菜類が、大きな盛り皿一杯に盛ってあるのですが、野菜の上にも、野菜をどけると中からも、炒め上がったヤモリが、四肢を踏ん張った姿そのままでいたのです。その地方で最上の料理の一つだと言われて逃げ場を失い、覚悟を決めて食べました。味は、まったく覚えていません。

そんな風であったので、その店に並んだ食材を見ても、たじろぐことはなく、食材の選択と調理方法を地元の人にお願いしました。出てきたのは、小魚、セミ、それに、コオロギのような昆虫が混じったフライ状の料理でしたが、どれも食べることができました。積極的にまた食べたい、という思いは湧いてきませんでしたが。ただ、小ガエルの煮物は、かつての野生の味を忘れてしまい、東京でのやわな食事に慣れ切った私の舌が受け付けず、一匹だけ食べて、おしまいにしました。食材と調理方法を選んだリャンさんはもちろん、コーラ君、リコ君も、旨そうに食べていました。コーラ君たちには訊き忘れてしまいましたが、ひょっとすると、ここはビエンプーカーにある唯一の食堂で、住民の人たちが、たまの贅沢に外食をする時に来るのかもしれません。なんだかそんな気がして来て、これでいいのだ、と思いました。

食事を適当に切り上げて、不愛想なホテルに戻りました。部屋に入ってシャワーをしようと思ったのですが、なさけのない量の水が落ちてくるばかりで、とうとう湯は出てきませんでした。私にとっては、先行きが危ぶまれるツアーのスタートでした。

一泊ルームチャージ十万キープ（約一三〇〇円）也。

ビエンプーカーの食堂での豪華な夕食。上＝セミとコオロギの揚げ物、右＝小魚のフライ、下＝小ガエルの煮物。

消え失せたトレッキング・コース

翌朝ホテルをチェックアウトして、昨夜夕食を取った食堂で、ラオス北部の名物麺であるカオ・ソーイを食べました。その後、市場に立ち寄って、水とトレッキング中に山中で食べる昼食を仕入れて、ビエンプーカーの町を後にしました。この日の車は、トヨタのピックアップ・トラックでした。車が本道を外れて脇道に入り込んだ途端に、舗装はなくなり、土がむき出しの悪路となりました。まずゴム園が現れて、その景色がしばらく続きました。さらに、途中には広大なバナナの畑もありました。ラオス北部のこの辺り一帯は、中国資本の進出が盛んで、農民から土地を借り上げてプランテーションにして、ゴムやバナナなどの商品作物の栽培を行っているのです。しかし、私がルアンナムターを訪れた頃には、中国資本によるバナナの促成栽培が有害な化学肥料を使い過ぎて土壌汚染、環境破壊をもたらしているとして、ラオス政府が生産停止命令を出していたはずなので、ビエンプーカーで見たバナナ畑は、中国資本によるものではなかったのかもしれません。

ガイドのリャンさんが、村を通り過ぎる度に、ここはアカ族、ラフー族、モン族などと教えてくれました。山道のアップダウン、ジグザグの連続で、車は橋の架かっていない渓流に入り込んで渡ったりしました。こういうドライブは、ピックアップ・トラックでなくてはならないでしょう。

走り始めて小一時間で、アカ族のトンラート村に到着しました。今夜、民泊をする村です。宿泊のお世話になる家で旅行荷物を下ろすと、再び車に乗って、トレッキングのスタート地点へと行きました。車が森の中の山道を進むと、わずかに森の木々が開けた場所があり、そこがスタート地点でした。標識もなにもありません。車を降りると、ガイドのリャンさんを先頭にして、森の中に入って行きました。

先頭を行くリャンさんが、右手に鉈のような刃物を持っているので、なぜだろうと思ったのですが、少し歩いただけで理由が分かりました。スタート地点は少し開けていて、人が踏みしだいた地面のように見えたのですが、登り始めるとすぐに、道らしきものは途絶えてしまいました。そして、リャンさんが、行く手を遮る足元の草やシダを薙ぎ払い、木の枝を切り取って進んでいくのです。トレッカーが来なくなって、相当の時間が経っているのでした。リャンさんの話では、地元のアカ族の人たちが、食べ物となる山の植物を採集したり動物を狩猟したりするためにこの道を使うことがあるとのことでしたが、どう贔屓目にみても、獣道とすら呼べない状態でした。

歩き始めて一五分ほどで、最初の滝が現れました。鬱蒼とした森の中に急に開けた空間があり、なだらかな滝の水が流れ落ちていました。そこでは、写真を撮るのも早々に、最終目的地の滝に向かいました。リャンさんが、脅すような口調で、「少し、厳しくなる」と言いましたが、少しどころではありませんでした。道がないのは変わらないのですが、登りの傾斜が厳しくなり、足元は瓦礫と枯れ葉が混じったようなカ所が続いていました。私は何度も滑り落ちそうになり、リャンさんたちの手を借りて進んでいきました。途中に幅五メートルほどの急流があり、飛び石状に岩が突き出ていました。すると、リャンさんが、近くに横たわっていた倒木を鉈で器用に割って、仮橋を渡してくれました。それは、とても初心者用のトレッキングとは言えず、アドベンチャーの領域でした。

クム族の英語ガイドのリャンさん。右手の斧で足元の雑草や枯れ枝を切り払い、道を造る。

最初の滝から三〇分ほど、気の抜けない登山をして、ようやく目的の滝に辿り着きました。やれやれ、でした。

その滝は、最初の滝よりもかなり開けた空間に、急な傾斜で流れ落ちていました。一年のうちで、何度人目に触れることがあるのやら。リャンさんが、滝つぼの畔に生えていたバナナの木から、大きな葉を何枚か切り落として、地面にシート代わりに敷いてくれました。そこに車座に座って、ビエンプーカーの町の市場で買ってきた昼食を広げました。蒸した糯米（もちごめ）に、ビーフ・ジャーキーのような干し肉、焼き魚、野菜の漬物などでした。これを、バナナの葉の上に広げて、各自が手で摘まみあげて食べるのですが、悪戦苦闘の後、森の中でとる昼飯は、各別にうまかったです。

しかし、この後、悲劇が私を襲いました。「森山さん、足が！」というコーラ君の鋭い声に驚いて、自分のズボンを見下ろすと、左足のふくらはぎにあたる部分に血がべっとりと滲んでいました。慌ててズボンを手繰りあげると、ふくらはぎは血まみれでした。そのまま目を水際の足元に移すと、ピンポン玉くらいの汚いものが転がっていました。なんと、私の血をたっぷりと吸って、身動きができずに転がっているヒルでした。不意打ちを食らって血を吸われてしまい、ちょっと小憎らしい気もしましたが、血を吸い過ぎて、吸った相手から逃げられなくなってしまうとは、間の抜けた話です。ヒルに悪気はなかったのでしょうから、そのまま転がしておくこととしました。

ただ、持っていたティッシュ・ペーパーで傷口を何度拭っても、出血は止まりませんでした。幸い、痛みはまったくありませんでした。リャンさんの言によれば、毒はないとのことでした。傷口に、持ち合せた紙を貼りつけてもらい、来た山道を、再び難儀をしながら下りました。

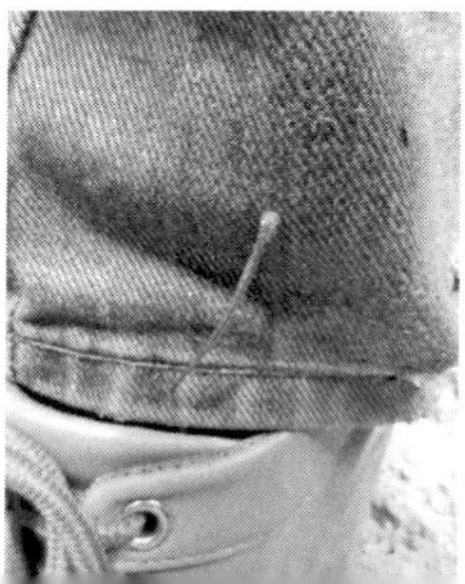

コーラ君のGパンの裾に吸い付いたヒル。こいつの仲間が、私の足の血をたっぷりと吸い、ピンポン玉大になっていた。

昼食を含めて、たかだか三時間ほどのトレッキングでした。しかし、森林浴の爽快さを味わえたわけでもなく、みごとな景色を堪能できたわけでもありません。残念ながら、とても、人に勧められるトレッキングではありませんでした。ここは、ラオス政府が二〇年も前にラオスで最初にエコ・ツーリズムをスタートした地域でした。外国からの支援を得て、本格的に地域を益する仕組みを作り、その後にラオスの他の地域にも広がったエコ・ツーリズムの模範となった地域です。

外国からの支援で仕組みが完成して、国際的な評価を受けると、特にヨーロッパからのトレッカーが来るようになった、しかし一応の仕組みができたので、外国からの支援活動は財政支援と共に終わってしまった、そして、その後にあるべきラオスとしての市場へのＰＲ活動がうまく続かなかった。だから、外国からのトレッカーが来なくなる。こうなると、コースの維持活動を、地方政府も村人も旅行会社も、積極的にやろうとしなくなる、だから、たまにやって来たトレッカーも落胆して帰ってゆく、そして、トリップ・アドバイザーなどに良い評価が掲載されない、ますます、トレッカーは遠ざかる……こんな悪循環が起きていることを想像させるトレッキングでした。

お世話になったアカ族の村

さて、車でアカ族の村に戻りました。村は山を背にしていて、前面には畑がありますが、その向こうには、やはり山々が連なっていました。どうやらこの道沿いの村々は、小さな盆地や峡谷に点在しているようです。

「ようです」などと、曖昧な言い方をしました。私は、ラオスで、日本の国土地理院が発行するような地図とまではいいませんが、その地域の地形を知ることができる地図に、ラオスを去る日までお目にかかることができませんでした。勤務する観光マーケティング局の誰に聞いても、あるいはビエンチャンの本屋を探しても、見つけることができなかったのです。県都の町の観光地図くらいは、観光ガイドブックに載っているので、町歩きには困りません。しかし、ビエンプーカーの地図は観光ガイドブックにも載っていないので、今回の旅も地図なしだったのです。まあ、地元の少数民族の人は地図なしでも、日常生活にはまったく困らないのでしょう。また、外国からやって来るトレッカーには必ずガイドがつきます。ガイドは地元の少数民族の人ですから、地図などは不要です。それでも、地図が欲しいというんですか？……ラオスの人にしてみれば、トレッカーの個人的な「知的好奇心」にまで、付き合ってはいられないのかもしれません。正確な地図は、国境の画定、道路の敷設、ダムの建設、観光地の開発、そして、現在進行中の山岳地帯を貫く高速鉄道の敷設など、公的な事業の遂行において絶対に必要でしょうから、必ずどこかにあるはずです。そういう事業に直接に関わるカ所だけが地図を保持・閲覧することを許されているのでしょうか？

さて、村には、二〇戸足らずの高床式木造家屋が建っていました。何棟か、木造モルタル造りの二階建ての家もありました。私たちがお世話になる民家は、高床式木造家屋が一棟と、隣接して、木造モルタル造りが一棟とからなっていて、私たちは、木造モルタル造りの二階にお世話になる、とのことでした。

ところで、私の左足ふくらはぎの血は、まだ止まっていませんでした。そこで、民泊のアカ族のご主人から、血止めになると伝わる草を摺り潰したものを傷口に塗ってもらいました。その後、疲れていたのでしょう、二階で一時間ほど眠ってしまいました。午後四時頃に目が覚めましたが、足の血は止まっていませんでした。よく話を聞くと、村に診療所があるということなので、行ってみました。モルタル造り平屋の可愛らしい建物があり、看板にはラオス語の横に英語で〝Dispensary〟と書いてありました。辞書を引くと、「学校、工場などの医務室、保健室」とあり、まことにそういった風情でした。入り口で声を掛けると、日本の中学校の保健室にいそうな女性が出てきました。ビエンプーカーの町からこの村に来ているのだそうです。その女性が傷口を水で洗い、消毒液を付けて、絆創膏を貼ってくれました。三〇分ほどすると、血は止まっていました。

たかだか消毒と絆創膏の処置ですが、野草を貼るよりは、効果があったのだと信じます。現代社会に起きている憂鬱な諸事象を勘案すると「人類の進歩」なんて、軽々に言えるものではありません。しかし、人間が日々を愉快に過ごしながら長生きできることを良しとするのであれば、医療の面では、「人類の進歩」を信じてもよいのかもしれません。村の人たちにとっても、この〝保健室〟が村に初めて開設された時は嬉しかったことだろうと想像します。少なくとも、足の血が止まった私は、嬉しかったです。

なお、この日森の中でヒルに取りつかれたのは、私以外にコーラ君が二匹、リャンさんが一匹でしたが、いずれも血を吸われる前に、情け容赦なく退治してしまいました。森の中にはヒルが

アカ族の村の高床式家屋。床下には、積み上げた薪や農具がある他、牛、豚、鶏、家鴨、犬などが、家族ぐるみで生活していた。

いることを、事前に教えておいてほしかったなと思いましたが、すでに血を吸われた後なので、黙っていました。

「保健室」から帰ってから、村の中を案内してもらいました。どこの家にも、風呂はもちろん、シャワーの設備もありません。村の一角に、山の上からホースで引いてきた水を使う共同のシャワー設備があります。村内を案内してもらった時間には、村の子どもや女性たちが共同シャワーの場所に集まり、身体を洗っていました。遠くから眺めると、女性は、巻きスカートのシンを胸の上までたくし上げて、頭から水を浴びていました。中には、逃げようとする小さな子を掴まえて、シャワーを浴びせている女性もいました。

彼女たちがシャワーを使い終わった頃合いを見計らって、私も、コーラ君、リコ君、リャンさんとシャワーを浴びに行きました。ところが、当然といえば当然のことで、シャワーから出てくるのは、山から引いてきた水でした。六月のラオスといえど、北部の標高一〇〇〇メートルを超える山岳地帯の夕方の外は、涼しいくらいです。とても、水を浴びる気など起きませんでした。子どもたちが逃げるはずです。そんな意気地なしの私をしり目に、仲間の三人はパンツ一丁になって、気持ちよさそうにシャワーを使うのでした。前日に続いて、その日もシャワーを逃した私は、タマサート（自然）に親しみ切れないおのれのやわさを恨めしく思うのでした。

村内にもう一カ所、生活に欠かせない共同施設がありました。便所です。外見にも、中に入っても、とても「トイレ」とは呼び難い設備でした。村は、山を背にしていて、土地が全体的に傾斜しています。村内の中央近くに傾斜した広場があって、その上の方に便所はありました。一辺が二メートル足らずの四角い構造物で、壁は、高さが二メートルほどの板を一辺について十枚ほど連ねてできています。いい加減な造りなので、板と板の間に隙間があって、中の人は落ち着いて用を足せないことでしょう。屋根は、トタンの波板が被せてありました。中に人がいないことを確かめて、鍵のかからない、今にも外れそうな板戸を開けて中に入ると、中央に、直径が一メートルほどで、高さが三〇センチほどの円形をした台があり、セメント状の材でできているようでした。その円形の台の中央に、白い便器が埋められていました。用を足す人は、台の上に登って、便器に跨るんです。台の横には、水を溜めた大きな容器と、柄杓(ひしゃく)がありました。

この便所に案内されて、私は、六〇年以上も前の小学生の夏休みに滞在した新潟の農家の便所を思い出しました。その頃の田舎の便所は、母屋の玄関から外に出て、隣接する木造建物の一角にありました。その建物は、あらゆる農具や耕運機、脱穀機などを納める場所でしたが、便所もその建物の隅にあり、その隣に牛を飼っていました。夜、おしっこをしたくなり、ひとりで便所に行って、裸電球の頼りない灯りの下で用を足していると、牛が便所を覗き込んで、「もーぅ」と、鳴くのでした。もう、こちらこそ、泣きたくなったものです。

村内の広場や高床の下に、村人よりもはるかに多い家畜たちが、三々五々、くつろいでいたり、歩き回っていました。気づいただけでも、水牛、黒豚とその子どもたち、鶏とひよこたち、何匹もの犬、家鴨とその子どもたちがいました。高床の床下にいた水牛だけ、首に紐が付けられて、おとなしく佇んでいました。しかし、残りの動物たちは、紐も柵もなしで、まるで昼休みの小学校の校庭を縦横無尽に走り回ったり、木陰で話をしている児童たちのように、勝手気ままに時を過ごしていました。

夕方、突然ににわか雨が降ってきました。村全体の土地が傾斜していて、裏山のほうから村の入り口に向かってV字型の溝が走っていたのですが、見る間にその溝が小さな川のようになって、水が走り落ちていきました。雨が掘った溝だったのです。すると、小学校低学年くらいの少年が素っ裸で外に飛び出して来て、溝の中に入ってうつむき、何かをしているようでした。その傍を、家鴨の親子が嬉しそうに歩き回っていました。雨の降る中で水遊びをする人間の子どもと、はしゃぎまわる家鴨の親子とを、私は、民泊の二階のベランダから眺めていました。雨は二〇分ほど降って止んでしまいましたが、なんだか、そんな光景を眺めただけで、この村に来た甲斐があったと思いました。

その日の夕食は、高床式の棟でとりました。外階段を登って部屋に入ると、そこは、いわばダイニング・キッチンになっていました。天井から吊り下げられた鉤(かぎ)の先に鉄鍋がかかり、湯が沸いていました。囲炉裏の周囲に台所用品が置いてあり、天井には梁が架かっていましたが、部屋の中のすべてが黒っぽく煤けていました。そして、この家のご主人が、囲炉裏の横で家鴨と格闘している最中でした。この日、森から村に帰ってきたとき、コーラ君から、「今日の夕食は、家鴨にしましょうか？」と聞かれた私は、何の考えもなく、「ええ」と答えていたのです。ご主人は今、湯に通した家鴨の毛を毟り取っているのでした。「これが、先ほどまで少年と雨の中

で遊んでいた親の家鴨ではありませんように！」などと善人ぶっても、もう手遅れでした。コーラ君が、舌なめずりでもせんばかりに、「この家鴨、三キロもあるんですよ！」と言いました。

出てきた料理は、家鴨の肉を小さく切って、野菜を混ぜて煮込んでシチューにしたものですが、私には肉がレアーの状態に思えました。他に、卵焼きと辛い漬物でした。ここでも、折角のごちそうが私の手に負えるものでなく、シチューを飲んで、卵焼きと漬物を食べておしまいにしました。幸い、私の仲間も、民泊のご家族のみなさんも、ごちそうを大いに堪能したようでした。なお、この三キロの家鴨は、民泊料金とは別で、九万キープ（約一二〇〇円）でした。

食後、寝室のある二階建ての建物に移って、ビールのビア・ラーオと、焼酎のラオ・ラーオで酒盛りをしました。リャンさんの話では、アカ族の女性は、アカ族の男性としか結婚しないというのが伝統で、今でも守られているそうです。また、この村のアカ族の主産業は米作だが、自分たちが耕作する田んぼまでは、山を越えて歩いて片道二時間かかるとのことでした。人口密度でいうと日本の十分の一以下のラオスで、なぜそういうことになるのか、私には理由の想像がつきません。ルアンナムター県が山国で、田畑の耕作可能地が少ないからだろうという想像は付きますが、それにしても、一日のうちの四時間を、勤務先と自宅との往復に費やすとは……と、書いてみたら、何のことはない、現代の東京にも、それくらいの通勤時間をかける相応の数の人がいそうですね。かく言う私も、現役の会社勤めの一時期は、片道一時間半の通勤をしていました。

ところで、この飲み会の席に集まったのは、民泊のご主人がアカ族、ガイドのリャンさんがクム族、観光局のリコ君がモン族、私の同僚のコーラ君がラーオ族、私が日本族で、日本語以外の

高床式住居のダイニング・キッチンで、ご主人が三キロの家鴨を囲炉裏の鍋で煮る。皆さん、基本はヤンキー座り。

各民族の言葉と英語が飛びかいました。自動翻訳機こそありませんでしたが、ラオス北部の山の中は、この夜、国際色豊かな飲み会が催されたのでした。むろん、日本語だけは、何の役にも立ちませんでした。

それから、この夜の出来事で、私がその場にいた誰にも話さなかったことが一つあります。飲み会の途中で、私は小便がしたくなり、外に出ました。空は曇っていて、辺りは真っ暗闇でした。街燈などという気の利いた灯りは、ありません。そんな闇の中に、よく見ると、蛍が飛びかっていました。さて、昼に案内された便所に向かって、傾斜を登り始めたのですが、明りと言えば飛んでいる蛍が発するものだけです。周囲は真っ暗闇で、物音ひとつしません。その時、昼に見たあの今にも壊れそうな便所に一人で入る（当たり前ですが）ことを想像したら、無性に怖くなってきて、足が固まってしまいました。とうとう、近くに草むらがあったことを幸いに、そこで用を済ませてしまったのです。アカ族の村のみなさん、ゴメンナサイ！

午後一〇時頃、宴会はお開きとなりました。眠るために階段を登って二階に行くと、敷き布団に小さなかけ布団、そして、蚊帳が吊ってありました。枕がないので、私は小さなかけ布団を枕にして眠りましたが、夜中になると寒くなってきました。そこで、枕を外して、掛け布団にしたのですが、今度は、枕がないのが困りました。おまけに、天井の蛍光灯がつけっぱなしで、しっかりと寝付けないままに夜を過ごしました。そのうちに、鶏が鳴き出し、セミが鳴き出し、人々のざわめきが聞こえてきて、眠るのを諦めました。隣では、恨めしいことに、コーラ君が高鼾（いびき）をかいて眠っていました。ちなみに、コーラ君の鼾は、ラーオ語ではなく、万国共通の音でした。

夕食後、ビールと焼酎で国際的飲み会。左手前から時計回りに、クム、ラーオ、アカ、クム、モン、そして、写真を撮るのは日本族。

いやはや、なんとも賑やかなアカ族の村の朝でした。

ところで、飲み会の部分を書いた後で気がついたのですが、ラオス政府は、国民を構成する五〇の民族を、四つの言語グループに分けています。そこで、アカ族の村での飲み会に参加した人々を振り返ってみたら、アカ族の民泊のご主人がシノ・チベット系言語、クム族のガイドのリャンさんがモン・クメール系言語、モン族の観光局のリコ君がモン・ミエン系言語、そして、ラーオ族の私の同僚のコーラ君がタイ系言語でした。なんと、四つの言語グループがみごとに一堂に会していたのでした。そんな、ラオスが花開いたような席で、日本族の私だけは、四つの言語グループのどこにも属さず、ぼそぼそと英語で会話に参加していたのです。

少数民族の人々と、旅の商業化

アカ族の村で民泊した翌朝、朝食の後に、民泊のアカ族のご主人が、私たちを村の裏手にある小高い場所に案内してくれました。そのまま登っていけば、森の中に入って、裏山の山頂を目指す道となるのかもしれません。民泊した家から二〇メートルほどの高さの所に、テラスのような平地があって、村全体を鳥瞰できます。そこに、クム族の英語ガイドのリャンさんによる英語訳で、"Spiritual gate"（精霊の門）が建っていました。毎年、九月の穀物の収穫前に、村人たちが木でこの門を建てて、村や畑に居ついてしまった悪いピー（精霊）を、この門を通して森の中、山の上に追いやる祭りを催すのだそうです。ビエンチャンの町のあちらこちらで見かけた、ピーを祀る祠の原初的なものが、こんなところにあったのです。おもしろいですね。

現在、平場に建っている門は、昨年の秋の祭りの時に建てたものでした。広くはない平場から山の上に向かって、高さ二メートルほどの丸太が左右に五本ずつ、人が二人並んで通れるくらいの間隔で建っていました。そして、左右対になった柱の上に、神社にある鳥居の笠木のような板が横に渡してありました。その姿は、神社の白木の鳥居が、山奥に向かって五基、わずかな間隔を開けて建っている、という感じです。その笠木の上に木製の呪術的な飾り物がいくつか立っていて、その一つが、鳥の木像でした。

その鳥の姿を見て、私はすぐに、昔読んだ星野道夫の『森と氷河と鯨』(世界文化社)の中に繰り返し出てきたワタリガラスを思い出しました。そして、胸の痛みを覚えました。これを書いている二〇一九年二月の今、東京の自宅で『森と氷河と鯨』をひっくり返して、ワタリガラスの木造の写真を見ています。そこに掲載されたワタリガラスは、やはり、二〇一七年五月末にルアンナムター県のアカ族の村で見た鳥の木像とそっくりでした。お前は、こんなところにも飛んで来ていたのか! ワタリガラスは、アラスカに住むインディアンやエスキモーの口承神話の主人公だそうです。星野の本に出てくるクリンギット・インディアンの神話の中では、ワタリガラスは、この世に生きる万物(むろん、クリンギット・インディアンという人間を含めて)に魂をもたらしたものとして伝えられているのでした。その伝説を象徴するように、彼らは、大切なトーテムポールの天辺に、木彫りのワタリガラスを置いたのです。私の頭の中で、ワタリガラスを通して、アラスカのインディアンとラオスのアカ族とが繋がってしまいました。

この世に存在するすべてのものに〝神〟が宿る、という思いは、日本を含めて、世界中にあっ

村の裏山のテラスに建つ〝精霊の門〟。村に居ついた悪いピーを、この門を通して、後方の山の上に追いやる。

ただろうし、今でもあります。こういう思いは、一神教がみせる猛々しさ、厳しさと較べて、寛容さと優しさを感じさせます。

この平場には、精霊の門から少し離れた、村が見渡せる側に、もう一つの構築物がありました。大きなブランコです。それは、長さが一〇メートルほどもありそうな四本の木材、というよりも、森から切ってきた自然の木を使ってできています。各木を、一辺が五メートルほどの間隔をおいて立て、足元を添え木などで支えて地面に固定します。その後、二本ずつを対にして上空で交差させます。その二つの交差点の上に丸太を渡します。丸太にはツタで作った輪を通して、その輪からツタ紐を吊り下げ、ツタ紐の先端に、跨って座るための木片を取り付ければ、ブランコの出来上がりです。これも、秋の収穫前の祭りの時に使うのだそうです。

上空に渡した丸太から地面まで、七～八メートルはありそうです。柱もなにも、すべて木ですから、ブランコを漕いだ時の揺れは、激しいものでしょう。ブランコに乗った人の目の前は空っぽで、遥か遠くに山が見え、高低差が二〇メートルほどもある眼下には村の家々の屋根が見えているでしょう。高度の高所恐怖症の私には、とても乗る気持ちの起こらないブランコです。昨年、村人が作った目の前のブランコは、幸いなことに、ツタ紐が失せていて、遊べなくなっていました。

それにしても、これらの人工の構築物も、そこに住む人も動物も、村全体が周囲の自然に溶け込むようにして存在しているのでした。

宿に戻り、精算をしたら、三〇万キープ（約三九〇〇〇円）でした。私と、同行者三人の宿泊代、食事代に、九万キープの家鴨を加えて、です。家鴨の特別料理を除くと、一人一泊二食六五〇〇円、

精霊の門の笠木の上の飛ぶ鳥の木像。星野道夫がアラスカで出逢ったというワタリガラスにそっくり。

ということになります。それでも、ビエンチャンの国家公務員の聞いている給与レベルを考えると、ビエンプーカーという地方のアカ族の現金収入として、とてもよいのだろうと想像がつきます。私たちのようなトレッカーが月に数組あれば、この村のアカ族の人たちの生活ももっと向上するのでしょう。手始めに、便所をトイレと呼ぶに足るものにするとか、シャワーを温水にして囲いをつくるとか、村の保健室を、せめて診療所レベルにするとか、ですね。シャワーの囲いは、都会人の余計なお世話かもしれませんが。

九時過ぎに車で村を出発し、ビエンプーカーの町に向かいました。途中、アカ族やモン族の村を通過する際に、私は車窓から写真を撮っていました。すると、ガイドのリャンさんが、どこかで車を停めて写真を撮りますか、と聞いてきたので、お願いをしました。リャンさんが車を停めたのは、ラフー族の村とのことでした。道路沿いの平地には、七、八軒の家が建っています。すべての家の壁が、縦に割った竹稈（ちくかん）を地面から直接に立ち上げたもので、屋根はボロボロに腐ったような植物で葺いてあるか、あるいは赤錆びの吹き出たトタンの波板でした。まるで、日本の山奥の廃村にでもありそうな光景でした。

リャンさんがそのうちの一軒に近づくと、「レッツ・ゴー」と言って、自分の家に案内でもするように、開いている戸口からさっさと中に入って行きました。私はちょっと驚いたのですが、リャンさんの勢いにつられて、戸口をくぐ

村を見下ろす大ブランコ。秋の収穫祭の時に使う。

りました。中は、広さが横一〇メートル、奥行き五メートルほどありましたが、全面がむき出しの土間で、しかもあまり整地が行き届いていないので、凸凹していました。窓が一つもない上に、電灯もありませんでした。しかし、竹稈の外壁が粗雑にできているため、竹稈の間から外光がいっぱい射し込んでいて、明りは十分にありました。土間の中央に、木の掘っ立て柱が一本あって、この家の大黒柱の役割を果たしているようでした。その五〇平米くらいの室内に、長板を地面から立てて幅と奥行きを各二メートル程度に囲った〝部屋〟が三つありました。土間には、炊事用具らしき物や、何かを入れたビニール袋が、雑然と置いてありました。

私たちが室内に入った時、そこには二十代と三十代とおぼしき女性が各一人と、小学校低学年くらいの男児が一人、そして幼稚園くらいの男児が一人いました。突然の闖入者に、四人の住人が一斉に顔を向けました。大人たちは、すぐに興味をなくしたように私たちから顔を背けましたが、小さな男児はまじまじと私たちを見ていました。ちょうど食事時のようで、三十代の女性が小さな男児に食事をさせていました。傍の地面に、火を使い終えたばかりの灰と、五徳のような炊事用具が置いてありました。炉も竈(かまど)もなく、すべて土間で直に炊事をしているのでした。食べ物は、米の飯と、ホワイト・アスパラのような大きさの筍だけで、茹でたもののようでした。

リャンさんの説明によれば、この家には三家族が住んでいるのだそうです。五〇平米程度の土間に三家族が生活する日常の様子が、私には想像ができませんでした。ラフー族の人たちは、つい最近まで、森の中で原始的な生活をしていたのだそうです。今のように、「人里に出てきて生活をするようになったのだが、あまり働かないので、今でも非常に貧しい生活をしているのだ」と、

ラフー族の住居。太い竹稈を縦に割いた素材の壁を地面から立ち上げて、屋根を枯草で葺いている。

クム族のリャンさんは、まるで博物館の展示品でも説明するように、言いました。ちなみに、リャンさんが属するクム族の人口は、特にラオスの北部諸県では、全人口の過半数を占めるラーオ族よりも大きいのです。一方、ラフー族は、ラオス全土はもちろん、どこの県をみても、文字通りの少数民族なのです。

私は、入ってはいけない他人の家に、文字通り土足で入り込んでしまったことに、暗然たる気持ちになって外に出ました。

これは、今この文章を書きながら思うことですが、私がガイドに案内されてラフー族の家に足を踏み入れたのは、現代の観光の形式で言えば、「ホーム・ビジット」に当たります。その国の一般家庭を訪問して、日常の生活空間や文化を垣間見る、というものです。四十数年も前に、私は旅行会社に入社して、横浜の大桟橋(おおさんばし)にある営業所に配属となりました。そして、横浜に入港する、世界一周や太平洋航路の大型客船で来日する観光客の日帰り旅行などの斡旋をしていました。その日帰り旅行の一つに、鎌倉の個人の民家を訪ねるホーム・ビジットを主たる観光魅力とするツアーがあって、大学を出たばかりの私は、その発想に感心したものでした。観光魅力といえば、寺社仏閣や自然の景観、と思い込んでいた私には、個人宅の訪問を観光魅力にするという発想が、ずいぶんと新鮮に思えました。米国人、豪州人、欧州人を主とする船客が訪れる個人宅は、木造の日本家屋で、和風の庭園があり、家人が家屋の中を案内した後、客に抹茶を提供したり、生け花などを披露するのでした。

このツアーに参加した船客には、日本人とその文化に対する強い好奇心があったはずです。

ひょっとするとその好奇心には、日本人に対する多少の敬意、あるいは日本の文化を尊重する気持ちも含まれていたのだろうと私は思うのです。また、受け入れる民家の側にしても、外国からの観光旅行者に、自分の家を通して、自分たちの文化を知ってもらいたい、という気持ちがあったのではないかと思います。自分の家や庭や披露する日本の文化を、生計を賄うための旅行素材として売っていただけ、とは思えません。

　旅には本来、その地を訪れる人と、旅人を受け入れる人とが互いを敬しあう、という大切な側面があるのではないでしょうか。そして、それは観光という商業化された旅の場合においても、忘れてはならないことではないでしょうか。まして、旅人が、受け入れる人の日常生活の場に足を踏み入れるホーム・ビジットのような場においては、なおさらです。ラオス政府が進めるCommunity-based tourism（コミュニティ ベースト ツーリズム）においても同様だろうと思います。

　かつて、旅は世界のどこにおいても、王侯・貴族、金持ちと、特定の職業に従事する人々の独占物でした。その旅の大衆化に果たした観光の役割、特にマス・ツーリズムといわれる商業観光の役割は、どんなに強調しても、し過ぎることはありません。しかし、だからといって、旅の持つ大切な側面を観光が忘れてよいはずはありません。観光産業や観光事業に携わる人や組織は、自分たちが関わる観光旅行が、旅が本来持っている、旅人と旅人を受け入れる人とが互いを敬しあうという場を提供することが可能か否かに配慮をすべきでしょう。そして、もしもそういう場を提供することが不可能だと判断したら、そういう観光旅行は、ひとまずやめるべきでしょう。やめたほうがよい、ではなく、やめるべきだと私は思います。

私は、今、ルアンパバーンの章で書いた早朝の托鉢の無残な光景を思い出しています。そこでの観光客の振る舞いには、托鉢するラオスの僧侶たちと、喜捨する住民たちに対して旅人が払うべき敬意、あるいはルアンパバーンの人たちが長い歳月をかけて築いてきた文化を尊重する気持ちが決定的に欠けていると私は感じました。しかし、そもそも早朝の托鉢を観光に組み込んだ観光産業とルアンパバーンの観光に関わる公的機関、そして国際組織の果たすべき責任は重いと私は思います。

ラフー族の村のホーム・ビジットも同様でした。よそ者の私が言うのもなんですが、このようなホーム・ビジットを観光に組み込む以前に、ラフー族の人たちの健康で文化的な生活を確保するために、中央政府、地方政府が実行すべき、もっと基本的な施策があるはずです。

ただし、これは、私の後知恵です。リャンさんの勢いに乗ってラフー族の村の家に入った私は、好奇心ばかりが先走り、ラフー族の人々を敬する気持ちを、まったくもち合せませんでした。むろん、案内してくれたリャンさんには、私の好奇心を満たそうという好意以外の他意があったはずはありません。ラフー族の人たちとクム族のリャンさんと日本族の私と、みなの気持ちがすれ違いに終わってしまったホーム・ビジットでした。

なんだか暗然とした気持ちのまま、ラフー族の村を離れてビエンプーカーの町まで行き、そこでガイドのリャンさんと分れました。わずかの間とはいえ、リャンさんとアカ族の民泊の家人にはお世話になったのですから、私個人の気持ちとしては、もっとたくさんのトレッカーにここへ戻ってきてほしいのです。しかし、すでに書いたトレッキングのコースの状態では、とても無理です。

その後、一昨日乗ったトヨタ・エースに乗り換えて、県都のルアンナムターの町に向かいました。途中で、カオラオ洞窟というところに立ち寄りました。ルアンナムター観光局のリコ君は、この洞窟を柱にしてこの地域にいろいろな観光施設を造る計画をねっているのだと意気込んでいたので、洞窟を見に行ったのです。しかし、何の特徴もない、狭い洞窟で、とても海外からの旅行者に勧められる観光資源ではありませんでした。

洞窟を後にして車に乗ってさらに進むと、ルアンナムターまであと二〇キロくらいのところにある小さな集落に、真新しい建物ができていて、看板には、「ナムハー国立保護区案内所」と、英語で表示してありました。中を覗くと、部屋の壁にはすでに観光ポスターなどの掲示物が架かっていましたが、所員は誰もいませんでした。私はリコ君に、「国立保護区の案内所を、なぜ、外国人観光客が到着し滞在するルアンナムターの町中ではなく、こういう中途半端な場所に造ったのか？」と聞いてみたのですが、芳しい答えは得られませんでした。

昼前に県都ルアンナムターの町に車が入った時、人口がたかだか三万人程度のこの田舎町の通りが、二泊三日のビエンプーカーから帰ってきた私には、都会のように賑やかに感じられたのでした。

コラム　ラオスの未来を生きる子どもたち

この紀行文は、私がラオスに滞在中に、ラオスの観光魅力を日本語で広報するために始めたフェイスブック、「Laos, Simply Beautiful-J」に投稿した文章を基にして書いています。このフェイスブックへの投稿に際しては、中原二郎さんから、何度も良質の写真を借用しました（本書でもお借りしています）。中原さんが、何年か前にラオス国内をオートバイに乗って一人旅をした時に撮影したものでした。

借用した中に、中原さんが旅で出会った少年、少女たちの写真がありました。どの子も、スマホなどは手に持っていません。また、足元も素足か、せいぜいがゴムかビニールのサンダル履きで、地面をしっかりと踏みしめています。彼らは、高額のオモチャや、ゲーム機などとは無縁の世界に生きています。自分の身の回りに広がるあらゆるものが、彼らの心を惹きつけるようです。そんな写真には、私がもう長年忘れていたものが映っていました。子どもたちの、不用心なあどけなさです。

あなたは、反論しますか、「そんなことはない。日本人の少年、少女にだって、あどけない表情はありますよ」。そうですよね。私も、その通りだと思います。それでも、中原さんが写したラオスの子どもたちの表情を眺めていた時、私はとんでもないほどの懐かしさを覚え、少々胸が詰まりました。

急いで書き加えますが、私は、経済的な貧しさを是とするものではありません。それどころか、ラオスの人々の経済的な向上の一助となることを信じて、私はラオスの観光促進のお手伝いをしてきました。なにしろ、ラオスは国連から「後発開発途上国」に認定されている国の一つです。

しかしラオスの少年、少女たちの姿を見ていると、なんだか、私を含めた多くの日本人が失ってしまった大切なものがラオスには残っている、と思えてなりませんでした。半世紀以上も昔、私は川崎大師という土地に住んでいましたが、小学校の二年生まで、私たちの授業は午前と午後とに分かれていました。まだ、戦後の復興期にあった日本は国として貧しく、小学校の建設が成長する団塊世代の児童の数に追い付かずに、小学生を午前と午後に分けて授業を行っていたのです。私たちには、まともなオモチャなどありませんでした。しかし、町のいたるところにむき出しの土があり、いくらでも石ころがあり、壊れたガラス片や錆びた鉄釘が落ちていました。神社には竹藪があり、畑も残っており、少し行けば小川が流れていました。川崎大師は、京浜工業地帯の真っただ中の町でしたが、遊ぶ場所と道具、隠れるところ、冒険するところに満ちていたのです。ラオスの子どもたちのあどけない表情を見ていると、そんな時代の自分に突然に出逢ってしまったような気持ちになるのでした。そして、思ったのです。彼らのあどけない表情が持つ価値に匹敵する、あるいはそれを越える便利さ、効率性、スピードって、あるのだろうか、と。彼らのあどけなさと引き換えにしなければ得られない便利さ、効率性、スピードって、なんなのでしょう？

今の日本の小学生は、半世紀以上も前の私の時代とは違って、英語や道徳の授業が加わり、さらに、学校から帰ると多くの子が塾に通っています。そんな姿を間近にみるにつけ、私はつい、自分が半世紀前に小学校を終えておいてよかった、などと思ってしまいます。と同時に、

ルアンパバーンにて。ナム・カーン川に架かる鉄橋を渡る少年たち。

二〇二〇年に小学校に入った自分の孫の将来を思うと、複雑な心境です。

むろん、私は日本の教育制度をもう一度、昭和二〇～三〇年代の姿に戻すべきだと思っているのではありません。そんなことは、誰にもできないですし。

そうではなく、私たちが失ってしまったかもしれない、人の生活の営みにとって大切な何かのことを、あらためて考えてみる必要があるのではないだろうか、と思っています。すべてを、便利さ、効率性、スピードを基準として考えるのではなく、個々の人の生活の営みにとって大切なものという視点からも、ものごとを考える必要があるのではないでしょうか。私は、先に「医療の面では、人類の進歩を信じてもよいのかもしれません」と書きました。しかし、人間の社会との関わり方、人間関係に置く価値観ということになると、人類の進歩をおいそれと信じるわけにはゆきません。

旅は、人にそういうことを考えるきっかけを与えてくれます。そして、私はラオスの旅から、そういうことを学んでいるように思います。

ムアンシンの少数民族の人々

アカ族の村からルアンナムターに戻り、私はその町に二泊して、丸一日をムアンシンの町とその近郊の視察に当てました。ビエンプーカーは、ルアンナムターの南西六十キロほどのところにありましたが、ムアンシンは、ルアンナムターを北西に六〇キロくらい行ったところにある町です。あと二〇キロ足らず北に行けば、そこはもう中国の雲南省との国境です。

チャンパーサックの村の小学校にて。

今から二〇年以上前、私が初めて雲南省の省都の昆明を訪れた時、必須の観光カ所として民族村があったので、行ってみました。中国史で常に表舞台となってきた中原からは遥かに遠い雲南は、漢民族にとってはいつでも悩ましい地で、山岳戦を得意とする少数民族が跋扈していました。その民族村を訪れた時、この地に住む多くの少数民族の中にタイ族の人々がいて、奇妙な思いを抱きました。そこで説明を受けて知ったのは、現在タイに住むタイ語族系の人々は、今から一〇〇〇年位前に、雲南の地から南下してインドシナ半島に進出したこと、また、雲南省の最南部のシーサンパンナと呼ばれる地域に、今でもたくさんのタイ語族系の中国人が住んでいるということでした。また、その民族村にいた精悍な山岳民族のミャオ族の人々が、現在、ラオス、ベトナム、タイなどの山岳地帯に住むモン族の祖であることを、後になって知りました。近代国家が国境という高度に人為的な境界線を引くよりも遥かな昔、少数民族の人々は、雲南からインドシナ半島にかけての地域を、空を飛ぶ鳥のごとく、あるいは山岳地帯の森を行くトラのごとく、自由に移動していたのです。

さて、ムアンシンです。ビエンプーカーからルアンナムターの町に戻った翌日、私は、リコ君、コーラ君と一緒に、車でムアンシンの町に向かいました。途中は国道で、ずっと舗装された道なのですが、六〇キロを走るのに二時間かかりました。理由は、途中に舗装のはがれた箇所が何十メートルと続いたり、舗装のあちこちに穴が開いていたりして、車がスピードをまったく出せないのです。舗装の剥落や穴の原因は、中国との国境に向かうこの道を、中国に荷物（バナナ、ゴム、キャッサバ、コーン、ピーマン、サトウキビなど）を運ぶ大型のトラックが頻繁に往来することです。

トラックで運ぶ主たる商品類は、中国資本がラオス人の農家から広大な土地を借りて大規模農園を運営し、化学肥料をふんだんに使って促成栽培したものです。外国の援助で国道が舗装されたのはよいのですが、外国の援助が引き上げてしまうと、その後の維持・管理が、主に財政的な事情でできなくなってしまうのでした。ここにも、ビエンプーカーのプロジェクトで見たのと同じ、構造的な課題があるようでした。

　山道を抜けると、急に視界が開けて平地となり、しばらく走ってムアンシンの町に入りました。この町は、周囲を山に囲まれた広大な盆地の一角にあるのです。まず、観光案内所の入る平屋の木造家屋の前で車は止まりました。車を降りて木造家屋の入り口を見上げたら、張り出した軒の下に桁がむき出しになって垂木を支え、桁を支える腕木が突き出していました。日本でいう出桁（だしげた）造（づく）りの構造です。ラオスは木造の家屋が多いのですが、ラーオ族などの高床式家屋やビエンチャンの中心部に並ぶ木造の建物を目にしていたものの、今までこういう構造には気がつきませんでした。ムアンシンは、中国国境まで二〇キロ足らずの地です。ひょっとすると、日本とラオス北部の木造家屋の構造に、中国を介して影響を受けたようなところがあるのでしょうか。それとも、出桁造りは木造家屋の合理的な構造の一つであるために、日本とラオス北部と、それぞれが独自にこの構造に辿り着いたのでしょうか。日本でも、出桁造りの建築家屋など、今ではめったにお目にかかれませんから、私はムアンシンでそれを見つけて、なんだか嬉しくなってしまいました。

　この日は、ムアンシンにある少数民族の村巡りです。まず、町の南にあるタイ・ヌア族の村に行き、トウモロコシから作るラオ・ラーオ（ラオス焼酎）の製造工程を見学しました。「工場」と

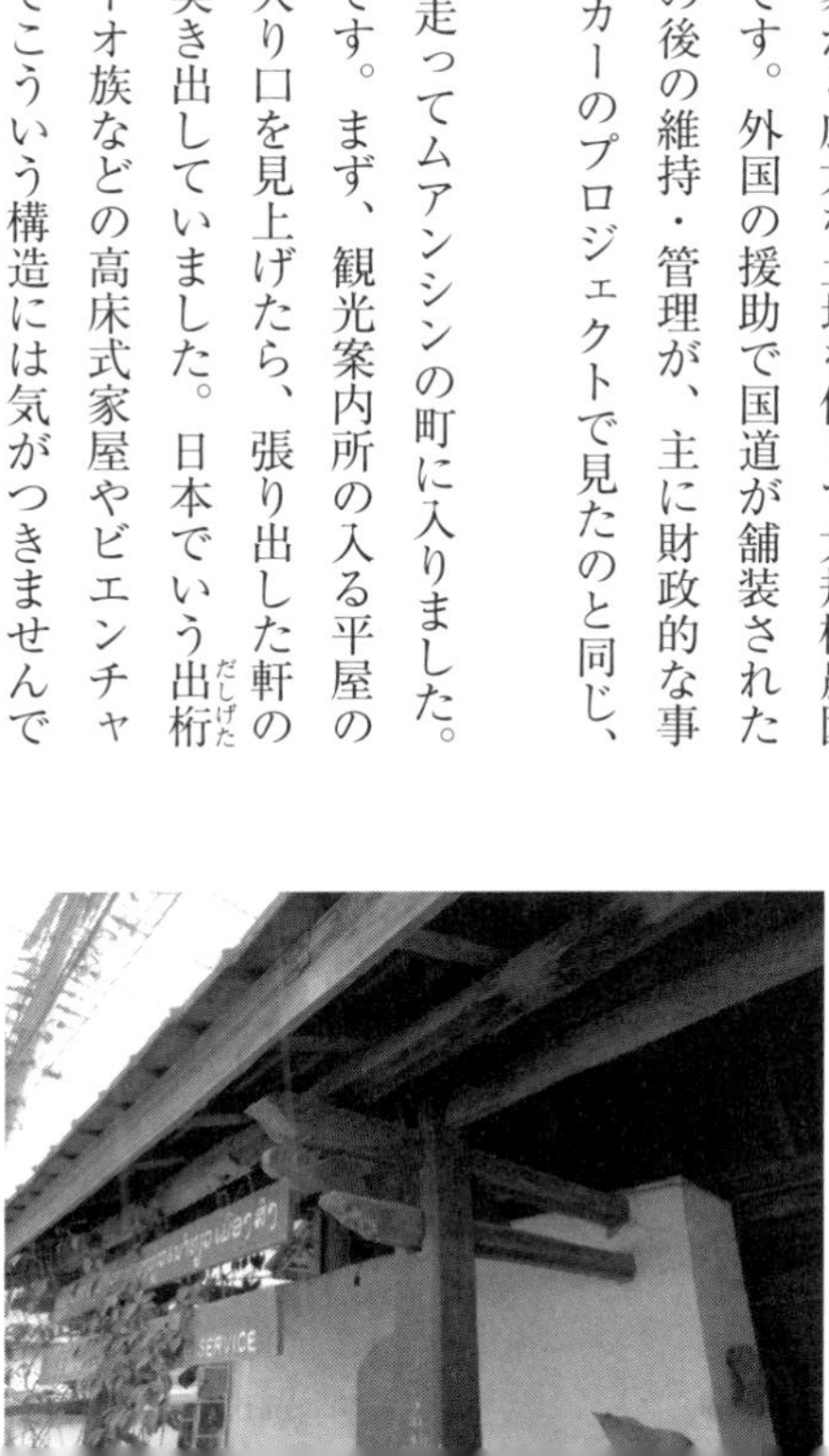

ムアンシンの町にある木造建ての観光案内所は、出桁造り。

はいっても、トウモロコシ農家の敷地の一角で、高さが五〇センチくらい、直径が三〇センチくらいのドラム缶様の蒸留装置が一つだけしか置いてありません。しかし、コーンを入れた袋が大量に積まれていて、この農家では、販売用にラオ・ラーオを製造しているのだそうでした。

次に、町の東側のちょっとした高台に広がるアカ族の村を訪れました。ビエンプーカーで見たのと同じ構造の精霊の門が、ここでは村の入り口に建っていました。リコ君の説明では、外からの良いピー（精霊）だけを受け入れるようにこの門を建てるとのことでしたが、どういう意味なのでしょう。いずれにしても、人間ではなく、ピーが通るための門なんです。村は、山の壁面に這いつくばるようにして展開していました。村内の上り勾配の坂を歩いて登っていったら、村中を見下ろせる村で一番高い場所に、ブランコをぶら下げるための構築物が建っていました。眺め下ろすと、数え切れないほどの高床式の家屋が村内に密集していて、相当に大きな村落でした。しかし、村内を歩き回っている間に見かけた村人は、談笑しながら刺繍をしていた数人の若い女性と、竹の稈を丸木の上に寝かせて棒で叩いていた中年女性一人、そして、高床式の階段に腰を下ろして私たちを眺めていた老婆だけでした。他には、観光客を含めて、誰にも会いませんでした。

隣にヤオ族の村があるとのことで、アカ族の村を出て峠道のようなところを歩いていたら、二頭ずつの水牛を縄で引いた女性が三人、縦列を作ってやって来ました。最初に若い女性が、二人目に老婆が、そして、三人目に少女が、少しずつ間隔を置いてやって来ました。すると、リコ君が、近づいてくる女性たちと水牛たちにカメラを向けて、写真を撮り始めました。そこで、私もカメラを出して、写真を撮りました。途端に、お婆さんが手にしていた水牛を引く縄を離して、気色ばんだ様子で私たちに歩み寄ってきました。そして早口で何かを言いながら、手を差し出してきました。リコ君によれば、写真を撮るのなら金を払え、と言っているのだそうでした。私が戸惑っていると、リコ君は老婆に向かって何か言い返して、金を払うことなく、「さあ、行きましょう」と言いました。リコ君によると、ヨーロッパ人観光客の中に、写真を撮るとチップをあげる人がいて、「写真を撮られたら金を要求する、という癖が付いてきている村人がいる。金は払わないでください」とのことでした。写真を撮って金を請求されたのは、ラオスに来て、初めての経験でした。言い訳をすれば、離れた距離からだったので写真を撮ってもよいだろう、と私は思ってしまったのです。しかし、写真を撮る前に断りを入れる、という基本マナーを守らなかった私が悪いのは明らかであり、恥じ入るばかりです。私は、「金は払わないで」というリコ君の要請に従ったのですが、この点だけとらえれば、チップをあげるヨーロッパ人がフェアだと言ってよいのかもしれません。むろん、そういう行為も、リコ君の懸念に対する根本的な解決策にはならないでしょう。ラオスが外国人観光客の誘致に本気で取り組むのであれば、この辺をどう解決するのか、ラオスの行政と観光産業が真剣に考えねばならないのだと私は思います。

なお、若い女性たちと水牛たちは、何ごとも起きていないかのごとくに、私たちの近くを通り過ぎてゆきました。

この後、ヤオ族の村の家々の屋根が見えてきた頃、歩いていた疎林の中に、細い木々を組んで造った小さな家屋のような建物を見つけました。ただし、壁は一切なく、骨組みだけなのです。四隅の細柱に梁と桁を渡して切妻形式の屋根を支え、床には木片が敷いてありました。正面の柱間が二メートルくらい、妻側の柱間は五〇〜六〇センチくらいといったところです。ヤオ族の人々が建てた森の精霊たちの住処、と言われても、私は信じてしまったでしょう。実際は、ヤオ族の葬儀に関わる建物だそうでした。梁や柱などにたくさんの白い布片が結び付けてありました。何気なくそれらの布片を眺めていたら、一枚の布片に漢字で、「一男四女……」と書いてあったのです。こんなラオスの山奥で漢字に巡り会うとは思ってもいなかったので、なんとも奇妙な気持ちになりました。ヤオ族の人々は独自の字を持たないため、必要な時には漢字を書くのだそうです。それにしても、たとえば、「一男四女」という漢字を、ヤオ語ではどのように発音するのでしょう。日本の古代の万葉仮名のように、漢字の音を借りてヤオ語を表記しているのでしょうか。それにしては、「一男四女」は音を借りるというには、意味が強すぎる気がします。

疎林を抜けると、すでにヤオ族の村に入っていました。リコ君の案内で、一軒の木造家屋を訪ねました。家屋の造りは、モン族やラフー族と同じ平屋です。屋内が土間というところも同じです。しかし、勾配のゆるやかな寄棟風の屋根に、小さな平瓦風の瓦がびっしりと敷き詰めてありました。私はつい「少数民族」という言葉を使ってしまいますが、ヤオ族の人たちにしてみれば、自分たちは少数民族である前に、ヤオ族です、ということなのでしょう。この旅で今までに会ったモン族、ラフー族、クム族、アカ族、タイ・ヌア族の人たちについても、同様です。

家の入り口でコーラ君が中に声を掛けると、ヤオ族のお婆さんが外に出てきました。その姿を見て、私は思わずため息をもらしました。お婆さんは、ヤオ族の伝統的な民族衣装に身を包んでいたのです。まず頭ですが、藍染の布をターバン状に巻きつけて、ふっくらとさせているのです

ヤオ族の葬儀に関わる構築物。柱、梁などに結ばれた布切れに、漢字が書かれたものもあった。

（口絵3頁）。藍染の布には、黄、赤、淡青色の模様が花のように刺繍してありました。そしてもっとも印象的なのが、藍染の羽織でした。藍の地の上に、朱色のぽってりとして重量感のあるえりまきがついているのです。実際には羽織から独立したえりまきではなく、羽織の襟から胸前、そして腰くらいまで、羽織に縫い付けてあるのだそうです。穿（は）いていた巻きスカートのシンも、裾には幾何学模様の、そして裾から上には花模様の刺繍がしてありました。モン族の正月のところで、私は、民族衣装を着た若い女性の魅力について書きました。しかし、こうしてみると、民族衣装に身を包んだお婆さんの魅力も、負けてはいません。

今、いつまでも見飽きないその姿の写真を見ていて、私は、同じような姿で目立つ鳥がいたのではないかと思い出し、家にあった鳥の本をめくってみました。そして、オオグンカンドリを見つけ出しました。この鳥のオスは、赤いのど袋を思い切り膨らませて、メスに対して自分をアピールするのでした。ヤオ族のお婆さんには、まさか、そんなつもりはないのでしょうが、異邦人にヤオ族の魅力をアピールするには十分でした。

さて、貫禄たっぷりのお婆さんは、ただ者ではありませんでした。家の中から商売道具を取り出してきて、座り込み、商品を広げました。どれも、ヤオ族が得意とする刺繍が施された藍染の布で作った商品でした。お婆さんに、観光地の土産物屋でよくみるような押しつけがましさは感じないのですが、無言で商品を私たちに手渡してきます。とうとう根負けして、私は二万五〇〇〇万キープ（三五〇円円くらい）の藍染の札入れを買いました。同行していたリコ君、コーラ君も、それぞれに藍染布製のスマホ・ケースなどの小物を購入していました。旅から帰宅

ヤオ族の村で私が購入した、藍染の布に刺繍をほどこした札入れ、約三五〇円。

して、あらためて札入れを見たら、藍の地にシンメトリーな幾何学模様の刺繍が施されていて、なんだかほっとしました。買い物が苦手な私ですが、折角初めての土地を訪れた時くらいは、その土地の特産品を買って帰るのも悪くはない、と思った次第です。

ルアンナムターの少数民族の人々

ルアンナムター県内を巡る四泊五日の旅の最終日は、県都のルアンナムターの町を車で巡りました。最初に訪れたのは、博物館でした。主たる展示物は、県内に住む少数民族の民族衣装を極めて簡易な人形に着せたものでした。何の演出を施すでもなく、民族衣装を着させられた人形が、いわばぼさっと立っている姿を見ても、おもしろくもなんともありませんでした。そういう中で印象に残ったのは、銅鼓でした。銅鼓は、中国の、特に揚子江以南の町にある博物館でよく目にする展示品です。青銅の打楽器で、祭儀などの特別な儀式の際に打ち鳴らしたようです。ルアンナムターの博物館にあったものは、クム族が使用していた銅鼓だと書いてありました。

もう一つ印象に残ったものは、ヤオ族が紙に書き残した文章の展示物です。白い紙の本のように左右に見開かれた頁に、墨を使った肉筆の漢字が、縦書きで整然と書いてありました。残念ですが、私は漢文の素養にまったく欠けるので、そこに書いてある内容を掴めませんでした。その時に写真に撮った文章を、いま見直してみると、たとえば次のような漢字が書いてありました。「……至東洋海洞庭湖……」、「……金星紫獄山頂看見大小財物如牛馬猪……」。漢字から音を借りてヤオ語を表記している、というのではなく、漢文ですよね。それにしても、昨日ヤオ族の村で

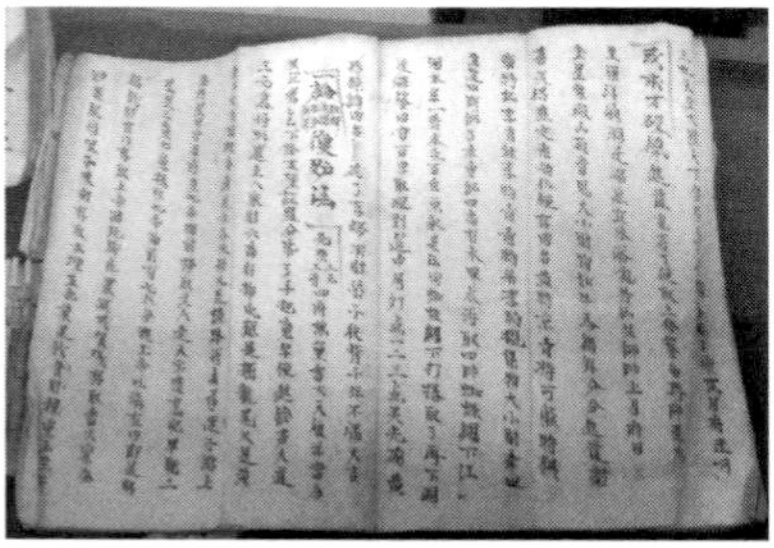

ルアンナムター博物館に展示されていた、ヤム族の漢字文書。ヤオ族は、漢字文化圏の私の同輩。

出逢った、朱色のぼってり襟巻にふっくらターバンのお婆さんが、このような漢字を書いている姿を想像すると、同じ漢字文化圏の同輩に出会ったようで、愉快になります。

博物館を出て、郊外にあるランテン族の村に向かいました。村の入り口で車を降りて、ちょっとした坂を登り切ったあたりに平屋の家が数軒あり、その前の広場に、藍染の布が何枚も干してありました。広場には、縦横五〜六メートルほどの間隔で石の柱が建っていて、人の背丈ほどの高さに竹棒が何本も渡してあり、藍を染め終えた長い布が何枚も干してあるのでした。私たちが訪れた時、藍染の衣装を着たお婆さんがいました。刺しゅうを施していないシンプルな藍染のワンピースを着ていましたが、仕事中なためか、裾を内側に膝上まで折り曲げて留めていました。そして、ひざ下までの長さの、これまた藍染のシンプルなパンツを穿(は)いていました。無駄なぜい肉などとは無縁なランテン族のお婆さんが着ている藍染の民族衣装は、江戸時代の江戸っ子の大工職人のような、機能的な服装でしたが、首からネクタイのような白い布を下げ、腹の前に横一線のピンクの紐をつけているのがオシャレでした。

コーラ君がお婆さんに話をして、屋内の仕事場を見せてもらいました。土間の仕事場では、地面に直接に薪を並べて火をつけ、その上に鉄製の桶を載せて熱していました。鉄桶の中には、濃い紫色が混じった黒色の液がたっぷりと入っていて、なぜか木片のようなものも入っていました。リコ君を通してこの液のことを聞いてみたのですが、リコ君もコーラ君も私も、藍の染料の作り方、染め方に関する知識がないので、よくわかりませんでした。火にかけた鉄桶の近くにバケツがあり、その中に、すでに藍に染めた布が入っていました。

石の柱に竹棒を何本も渡し、藍染めの長い布を干してあった。

藍といえば、日本では、江戸時代の阿波の国（現、徳島県）の吉野川沿いの村々で、藍の栽培と藍染の産業が盛んでした。今でも徳島県の地図を開くと、徳島市の近くの吉野川沿いに、藍住町や藍畑などという地名が見つかります。特に吉野川の中流域にある脇町は、本瓦葺きの屋根に漆喰塗りの「うだつ」をあげた美しい家並みが、重要伝統的建造物群保存地区に選定されています。江戸時代に、藍の集散地として栄えた商人たちが競って建てた豪勢な商家の名残りなのです。

ラオスの北隣の中国の雲南省でも、少数民族が藍の栽培と藍染の衣料の生産を行っています。私はもう二〇年以上も前に、初めて雲南省の旅をした時、麗江（れいこう）の町外れにある藍染の製作と販売をしている家に行きました。それだけのことで、あとはよく覚えていません。ただ、麗江の町を歩き回った時、藍染の民族衣装を着た納西（なし）族の女性たちをずいぶんと見たことは、覚えています。

藍染は、世界の各地で遥かな昔から行われてきたそうですが、雲南省の納西族やラオスのランテン族におけるように、伝統的な藍染を日常生活の中にしっかりと生かし続けている少数民族の人々がいるんですね。

この後、町の西側の丘の上にあるプム・プック・ストゥーパを訪れました。古くからあったストゥーパ（仏塔）ですが、第二次インドシナ戦争時（一九六〇～一九七五年）にアメリカ軍の空爆で破壊されてしまいました。二〇〇三年、元のストゥーパが建っていた土地の隣に、新しく建てた金箔の塔が、プム・プック・ストゥーパです。塔の裏側に回ってみると、たしかに金ピカの塔の横に草蒸した石の壇があり、四隅に建っていたはずの小塔の一つだけが、傾いて残っていました。

ランテン族の老婆。藍染の仕事中の服装は、江戸っ子の大工職人のように機能的に見える。

第二次インドシナ戦争の傷跡はラオス国内のあちこちに残り、不発弾の暴発による、子どもを含む主に農民の犠牲者が、現在に至るも毎年、報告されています。なにしろ、第二次インドシナ戦争でアメリカ軍がラオスに落としたクラスター爆弾の子爆弾の数が二億七〇〇〇万発、そのうち不発弾として残ったものが八〇〇〇万発といわれているのです。* ラオス政府にとって、この不発弾の処理は国家的な重要課題の一つであり、外国からの支援を得て取り組んでいますが、日本も人的な支援を行っています。私がこの旅をする数日前に読んだ新聞にも、「ラオス全土に残る不発弾をすべて処理し終えるには、さらに一〇〇年を要する」、という政府の発表が掲載されていました。インドシナ戦争は終わっても、ラオスで戦後はまだ続いているのです。

最後に、タイ・デン族の村を訪れました。村の中を歩いて行くと、通り過ぎるどこの家でも戸外に織機を据えて、女性が織物をしていました。我々が村に滞在していた間、観光客の姿はまったく見かけませんでしたから、彼らは日常生活の中で仕事として売るための織物作りをしているのです。リコ君が、村の女性の一人に何か話をした後、その女性について村の外れに歩いて行きました。そこに、村人の家屋とはまったく様子の違う、壁も屋根も真っ白な新しい建物が建っていました。アジア開発銀行の援助でできた、ODOP（One District One Product ＝一村一品）運動の展示販売所だそうです。一村一品運動は、一九八〇年に大分県でスタートした、地域を活性化させるための運動です。大分県内の各市町村がそれぞれに自慢の特産品を一つ選んで売り出そうというものです。ラオスやタイでは、ODOPの名で、運動が進んでいるのです。タイ・デン族のこの村では、アジア開発銀行の支援を得て、織物を村の特産品として売り出そうとしている

＊ COPE Loas のホームページ

のです。

展示販売所の中に入ると、村人が織った綿や絹の巻きスカートのシンやスカーフが展示してありました。これから、織物体験のできる建物を作る計画もあるのだそうです。うまくいくといいのですが。ラオスは、ハード面は外国からの援助で準備するのですが、販売促進の経験やノウハウ、人材に欠けるので、そのへんのめどが立っているのか、人ごとながらちょっと心配です。私が関わっていた観光に関しても、外国からの援助は観光地の開発というハードが中心で、特に広報・宣伝のソフト面がとても弱いのです。ラオス政府もさることながら、援助をする外国も、目に見えるハード面だけでなく、見えないソフト部分にも力を貸してほしいものです。

さて、車に乗り込んでタイ・デン族の村を出た途端に、目の前に水田地帯が広がり、びっくりしました。ルアンナムターの町は、周囲を山々に囲まれて、東西一五キロほど、南北三〇キロほどの楕円形の盆地にあります。町は、北西部の一角に集中していて、それ以外の土地には、水田が広がっているのでした。水田は、もうすぐ刈り入れの時期を迎えるようで、黄金色に輝く稲穂が、遥か彼方の山まで続いておりました。

私は、故郷の越後平野に広がる八月の稲田の風景を思い出して、心が広々としてきました。

ルアンナムターの町外れに出ると、一面の水田風景。故郷の越後平野の夏を思い出す。

あとがき──日本の縄文人とラオスの先住民との遺伝的なつながり

二〇一五年の初夏、ＪＩＣＡから連絡があり、シニア・ボランティアとして二〇一六年一月から二年間のラオス赴任が決まりました。そのことを知人たちに伝えると、「なぜ、その歳でラオスへ？」との問いが返ってきました。私は、そのつど、「たまたま、ラオス政府が観光プロモーションの手伝いを求めているから……」と、当たり障りのない応えをしました。しかし、今ここで気恥ずかしさに目をつぶって別の応えを書くとすれば、「生きることへの好奇心から」、とでもなるでしょうか。人が生きること、自分が生きることへの好奇心から。それならラオスでなくてもよいのでは？　その通りです。しかし、縁あって、ラオスです。幸い、家内が同行してくれることとなり、それまで遠く霞んでいたラオスが、一気に私の好奇心を掻き立て始めました。その好奇心のおかげで、ラオスでどんな不思議と出会ったかは、本文に書いた通りです。

さて、ラオスから帰国して半年ほどが経った二〇一八年七月一二日の朝日新聞の朝刊を開いて、私は驚くべき記事に出会いました。記事のタイトルは、「縄文人は東南アジアから来たのか」でした。内容は、金沢大学の研究グループが、「約２５００年前の縄文人の人骨に含まれる全ゲノム（遺伝情報）を解析した結果、約８０００年前の東南アジアの遺跡で出土した古人骨から得られたゲノム配列と似ていることが分かった」と発表した、というものでした。

しかも、掲載記事の元ネタとなった七月九日付け金沢大学のニュース・リリースによれば、「得られた古人骨ゲノムデータと世界各地の現代人集団のゲノムデータを比較した結果、東南アジアに居住していた先史時代の人々は、六つのグループに分類できる」ことが分かったが、そのうちの「グループ1は現代のアンダマン諸島のオンゲ族やジャラワ族、マレー半島のジャハイ族と遺伝的に近い集団で、ラオスの Pha Faen 遺跡（約8千年前）から出土したホアビン文化という狩猟採集民の文化を持つ古人骨と、マレーシアの Gua Cha 遺跡（約4千年前）の古人骨がそのグループに分類されました。また、このグループ1に分類された古人骨のゲノム配列の一部は、驚くことに日本の愛知県田原市にある伊川津貝塚から出土した縄文人（成人女性）のゲノム配列に類似していたことが分かりました。さらに、伊川津縄文人ゲノムは、現代日本人ゲノムに一部受け継がれていることも判明しました」

そして、このニュース・リリースから二年後の二〇二〇年八月二五日付で金沢大学と東京大学が連名で発表した文書、「縄文人ゲノム解析から見えてきた東ユーラシアの人類史」の中に、次の文章がありました。

「この論文では、約二千五百年前の本州日本に住んでいた女性 IK002 が、ラオスで出土した約八千年前の狩猟採集文化を伴う人骨（La368）と、東南アジア・東アジア各地に住む人々の誰よりも、遺伝的に近縁であることを報告した」

ここに出てくる IK002 と La368 は、二年前のニュース・リリースに出てきた、伊川津貝塚から出土した縄文人（成人女性）とラオスの Pha Faen 遺跡（約八〇〇〇年前）から出土した狩猟採集民の文化を持つ古人骨のことです。

なんと、日本の縄文人とラオスの先住民との遺伝的なつながりが見つかった、というのです。

日本の縄文時代といえば、今から一万五〇〇〇年くらい前から、二千数百年くらい前まで続いた長い時代で、世界史でいう新石器時代に相当します。その縄文最晩期の日本人の血に、ラオスの先住民の血がつながっていたというのです。最初に記事を読んで、私は、目を疑いました。それから、じわじわと嬉しさがこみ上げてきました。そして、ラオスで出逢ったたくさんの人々の顔が頭に浮かんできたのです。

むろん、今回のゲノムの解読結果をもって、日本人の先祖にポリネシア人の血が流れているかもしれないという、これまた魅力のある説が否定されたわけではありません。また、弥生人の血に、朝鮮半島を渡ってきた北方アジア人の血が大いに流れているだろう、という説も揺らぐわけではないでしょう。サハリンを経由してやって来たであろうオホーツク人の血の流れも、同様です。

くり返しますが、ラオス人民民主共和国は、公式に五〇の民族でなっています。一方、日本は、……単一の日本民族、なんでしょうか？

金沢大学の記事が掲載されたのと同じ日の朝日新聞朝刊の別の紙面、「折々のことば」に、鷲田清一が司馬遼太郎の次の言葉を取り上げていました。「私自身も、日本社会では在日日本人であり、それ以外の規定は少しもない。社会とはそういうものだし、そうあるべきものである」。この文章は、司馬が中国人作家の陳舜臣、朝鮮人作家の金達寿と鼎談をしたときの『歴史の交差路から』（講談社文庫）の最後の「鼎談を終えて」で語っている言葉です。司馬は、中国人も朝鮮人も日本人も、同じ日本という箱の中で活動するかぎり、『在日』の民なのだ、と言うのです。そして、社会が「箱である以上は誰もが暮らしよいものにしなければ」と。

＊『街道をゆく 中津・宇佐のみち』司馬遼太郎、朝日文芸文庫

司馬は、別の本の中でも、「他のアジアの水田民族が、籾種を持って集まってきたボート・ピープルこそ、私どもの有力な先祖の一部といっていい」*と、言っています。おのれをアジア人と強く意識して生きた司馬遼太郎の、面目躍如とした文章です。**むろん、司馬のそういう意識が、日本と日本人を懐かしむ司馬の文章を妨げることは少しもないのですが。

鷲田清一の「折々のことば」から、もう一つ。「単一民族という時、日本人の顔、顔、顔がそれを大いに裏切っているのは愉快である。(茨木のり子)」。二〇二〇年一月二〇日の朝日新聞に掲載されました。この一週間ほど前になされた政治家の発言***と、その政治家の顔を思い浮かべながら、鷲田はこの言葉を引用したのでしょう。そう思って、あらためて茨木のり子の言葉を読み返すと、愉快ではありませんか。

さて、今回、私が二年間のラオス滞在中に出会った様々な不思議を思い出しながら、この紀行文を書きました。書いている最中に、何度もラオスの人々のことが思い出されて来て、私は懐かしさに、胸が苦しくなってきました。こうした懐かしさを感ずることができただけでも、好奇心に駆られるようにしてラオスへ行ってよかった、と私は思うのでした。

この紀行文を書きあげた今、ラオス情報文化観光省観光マーケティング局の前局長のサリーさんと、同局で同僚だったコーラ君に感謝の意を表します。私が思いつくままにラインを通して発する多岐に渡る質問に、丁寧に答えてくださいました。心残りは、この紀行文をラオス語で書き上げる力が、私には決定的に欠けているために、完成した紀行文をサリーさん、コーラ君には読んでいただくことができないことです。

**司馬の言葉に私が感応して作った一句、「菜の花忌吾も在日アジア人」

***麻生太郎副総理兼財務大臣が、二〇二〇年一月一三日に地元・福岡県で行った国政報告会における次の発言、「二〇〇〇年の長きに渡って、一つの国で、一つの場所で、一つの言葉で、一つの民族、一つの天皇という王朝、一二六代の長きにわたって、一つの王朝が続いているなんていう国はここしかありませんから」

そして、彩流社社長の竹内さんには、この紀行文の出版を快く引き受けていただきました。また、編集の出口さんには、出版のことに無知な私に、辛抱強くお付き合いいただきました。どうもありがとうございます。

さらに、写真を撮るセンスに欠ける私の無力を助けてもらうために、中原二郎さん、相馬淳子さん、ラオス情報文化観光省観光マーケティング局、京都市動物園、そして、メコンクルーズの日本における総代理店の（株）ジェイバから、たくさんの魅力ある写真をお借りしました。

ありがとうございます。

最後に、身内ですが、妻のなを子に一言。君がラオスに同行してくれなかったならば、この紀行文に書くべき私の体験は、少し貧しいものとなってしまっていたでしょう。ラオスに同行してくれて、ありがとう。

ラーンサーン通りに面した勤務先の近くに出店していた屋台のお茶屋。毎日、昼にコンデンスミルク入りアイスティーを買って飲んでいた。真ん中が筆者

◎著者プロフィール
森山 明（もりやま・あきら）
1947年生れ。1971年、（株）ジェイティービー入社。2003～8年、ビジット・ジャパン・キャンペーン実施本部（国土交通省主管）事務局長。2009～15年、秀明大学観光ビジネス学部で、主に国際観光の講義を担当。2016～18年、JICAシニア・ボランティアとして、ラオス情報文化観光省観光マーケティング局で活動。主に日本市場向けにラオス観光の販売促進を担当。

不思議(ふしぎ)の国(くに)のラオス

2021年2月24日　初版第一刷

著　者　森山明 © 2021
発行者　河野和憲
発行所　株式会社 彩流社
〒101-0051　東京都千代田区神田神保町3-10　大行ビル6階
電話　03-3234-5931
FAX　03-3234-5932
http://www.sairyusha.co.jp/

編　集　出口綾子
装　丁　渡辺将史
印　刷　モリモト印刷株式会社
製　本　株式会社難波製本

Printed in Japan　ISBN978-4-7791-2640-6　C0026
定価はカバーに表示してあります。乱丁・落丁本はお取り替えいたします。